CW00408043

CERDDOR CLEWTDD GOLAU

Straeon Celwydd Golau

Casglwyd gan
Arthur Tomos

Gwasg Carreg Gwalch

Argraffiad cyntaf: Tachwedd 1992

ⓗ *Gwasg Carreg Gwalch*

*Rhif Llyfr Safonol Rhyngwladol:
0-86381-233-3*

*Dymuna'r Cyhoeddwyr gydnabod
cymorth Adran Olygyddol
y Cyngor Llyfrau Cymraeg.*

*Clawr:
Crad Bach, Ty'n Berth, Penmachno*

*Cartwnau:
Anne Lloyd Morris*

Cartwnau eraill wedi'u codi o'r cylchgronau
Llafar Gwlad, Blodau'r Ffair *a'r cyfrolau*
Helyntion Twm Llongwr *a* Hyfryd Iawn
*gan Meirion MacIntyre Huws, Howell Harries,
Anne Lloyd Morris ac Elwyn Ioan.*

*Argraffwyd a chyhoeddwyd gan Wasg Carreg Gwalch,
Capel Garmon, Llanrwst, Gwynedd.
☎ Betws-y-coed (0690) 710261*

I'r
Parch. John Alun Roberts a'i debyg
am helpu i gadw'r
straeon yn fyw
ac
i'r rhai hynny sydd, er yn anfwriadol,
yn dal i gynnal y traddodiad.

Beddargraff Celwyddgi

Dwedodd mewn ffordd gredadwy — ei wyrthiau
   A rhoi wrthynt mwyfwy;
  Yn nherm gwlad daeth i adwy
  Ry dyn i allu mystyn mwy.

Isfoel

Celwyddgi

Am stori frith, meistr y fro — ni hidia'r
   Un iod, doed a ddelo,
  Ai gwir neu anwir honno,
  Ei hail-ddweud yw ei wledd o.

Alun y Cilie

Beddargraff Celwyddgi

O gau Wil Celwydd Gole — yn yr arch,
   Darfu creu anwire,
  A welo'i fan olaf e,
  Gwelodd gladd o gelwydde.

Dic Jones

Cynnwys

Rhagair — a gair o ddiolch 8

Cyflwyniad 11

Straeon a briodolir i fwy nag
    un cymeriad mewn ardal 17

Y Tywydd 26

Gwledydd pell.. 33

Ffermio 40

Pysgota 50

Hela 56

Anifeiliaid anarferol.. 61

Straeon eraill 67

Y Cymeriadau
    Straeon Charles Williams 87
    Straeon y Parch. John Alun Roberts 90
    Straeon Eirwyn Pontshân 107
    Hen Ddwylo — Straeon E. Llwyd Williams............................ 119
    Dafi Esgaironnen.. 122
    Dafydd Bwli... 124
    Gruffydd Jones, Y Deryn Mawr...................................... 128
    Atgofion William Jones, Talmignedd 133
    Shemi Wâd 137
    Gruffydd Williams 145
    Jac y Peinter a Dani Cole 148

Caneuon a Llenyddiaeth 151

Y Deryn Mawr (Marc tŵ) 159

Helyntion Twm Llongwr 163

Dafi Chicago ac eraill 168

Yma o hyd 178

Llyfryddiaeth 202

Rhagair — a gair o ddiolch

Mae gan yr iaith Gymraeg ddyled fawr i'r cylchgrawn *Llafar Gwlad*. Ceir cyfoeth o fewn cloriau pob rhifyn ac yn bwysicach na'r cynnwys ei hun, efallai, yw'r ffaith ei fod wedi ysgogi cynifer o bobl, gan gynnwys myfi fy hunan, i roi ar bapur atgofion, hanesion ac ymadroddion a fu'n llochesu yng nghilfachau'r cof am gymaint o amser. Dyna, i raddau helaeth, sut y daeth y llyfr hwn i fod.

Nid fel astudiaeth academaidd y'i bwriadwyd — mae cyfrol felly yn siŵr o weld golau dydd ryw dro — ond, yn hytrach, fel casgliad o straeon i'w mwynhau. Tueddiad astudiaeth academaidd yw bod yn drwm, yn undonog, ac yn ddiflas o gywir. Credaf fod trefn gatalogaidd a throednodiadau lu yn llesteirio'r mwynhad a geir o ddarllen llyfr ac ofnaf fod llawer astudiaeth academaidd yn y Gymraeg wedi mynd yn ddim byd mwy na pharatoad ar gyfer y dydd, yn nhyb yr ymchwilwyr, pan fydd y Gymraeg wedi marw fel iaith lafar, ond fod pob dim 'o werth' yn ei chylch wedi ei gofnodi a'i gadw'n drefnus yn selerydd ein sefydliadau.

Cyfrol i roi hwyl a phleser i'r sawl sy'n ei darllen yw hon, gobeithio. O'r herwydd, nid wyf wedi cofnodi ffynhonnell pob stori na'u llethu â manion dibwys, ac rwyf wedi osgoi ceisio safoni iaith y 'deud'. Yn hytrach, fe lynais at yr iaith y clywais neu y darllenais y straeon gyntaf ynddi — cyn agosed ag sydd bosibl i'r dafodiaith er mwyn ceisio cynnal y traddodiad llafar sydd ynghlwm wrth adrodd straeon o'r math yma. Dyna paham fod cymaint o amrywiaeth sillafu ac arddull.

Casgliad anghyflawn ydyw. Nid wyf wedi cyffwrdd â llawer o ardaloedd yng Nghymru ac felly nid yw'n bosib i'r llyfr fod yn 'Alffa ac Omega' ar y pwnc. Credaf fod lle i gyfrolau eto o'r straeon hyn, ac fe allai'r papurau bro gasglu llawer ohonynt i'w cyhoeddi a rhoi pleser a mwynhad i'r darllenwyr ar yr un pryd.

A dyna sy'n arbennig am y traddodiad o ddweud straeon celwydd golau — mae'n draddodiad byw o hyd. Eisoes, ers gorffen y casgliad hwn, rwyf wedi clywed straeon eraill, un neu ddwy ohonynt newydd eu 'cyfansoddi' hefyd. Yn groes i gred nifer o'n pwysigion, mae'r traddodiad yn dal yn fyw ac mae ei ddyfodol ynghlwm wrth ddyfodol yr iaith. Tra pery'r iaith, fe bery rhai i'w 'deud nhw', fel y cyfeirir yn aml at y grefft.

Bwriad y gyfrol yn wreiddiol oedd cyhoeddi straeon a glywais ar lafar dros y blynyddoedd gan wahanol bobl, ond buan y sylweddolais fod nifer o straeon eraill wedi eu cofnodi mewn cofiannau a hunangofiannau yn ogystal, heb iddynt golli dim o'u naws, na'r dafodiaith o ganlyniad i hynny. Mae rhestr gyflawn o'r llyfrau hyn yng nghefn y llyfr.

Mawr iawn yw fy nyled i amryw o bobl, rhai ohonynt yn 'fawrion y genedl' ys dywedir. Carwn ddiolch o galon i Myrddin am ei anogaeth a'i gymorth — mae ei gyfraniad i fywyd ein gwlad yn amhrisiadwy, petai ond am y llyfrau y mae eisoes wedi eu cyhoeddi (mae hynna'n werth peint neu ddau, dwi'n siŵr). Mae fy nyled yn fawr i'm gwraig Olwen am ddioddef y llanast ac am ddioddef yn ddistaw wrth imi adrodd yr un straeon drosodd a throsodd wrth wahanol bobl. Diolch hefyd i Dewi a Carys Lake am ddarllen a chywiro'r cwbl fel yr oedd ei angen.

Carwn ddiolch hefyd i Merêd am ei awgrymiadau ynglŷn â chaneuon gwerin a rhigymau a hoffwn gydnabod fy nyled i'r Parch. John Alun Roberts a'r diweddar Tecwyn Lloyd am gael defnyddio'u casgliadau o straeon. Carwn ddiolch yn ogystal i John Owen Huws (golygydd *Llafar Gwlad*) am drosglwyddo ei gasgliad o straeon imi (ac am arbed siwrne i Sain Ffagan, efallai), ac i'r rhai yr wyf yn eu henwi isod am y straeon a'r cymorth a gefais ganddynt hwythau ar lafar neu o ganlyniad i'w gwaith casglu:

Merfyn Jones, Porthmadog
David John Jones, Porthmadog
Glyn Povey, Porthmadog
Alwyn Jones, Porthmadog
Gwyn Llewelyn, Ynys Môn
Emrys Evans, Blaenau Ffestiniog
Vivian Parry Williams, Blaenau Ffestiniog
Steffan ab Owain, Blaenau Ffestiniog
Eryl Williams, Aberystwyth
Twm Elias, Plas Tan y Bwlch
Dewi Williams, Penmorfa
Emlyn Williams, Rachub

Gareth Thomas, Penrhyndeudraeth
Ieu Parri, Penygroes
Penri Jôs, Llanbedrog
W. T. Hughes, Cemaes, Ynys Môn
J. R. Owen, Cricieth

Hoffwn ddiolch i'r bobl eraill, sydd yn rhestr ry niferus i'w henwi, a fu'n adrodd straeon imi yn ystod y blynyddoedd (a'r misoedd) diwethaf. Heb eich cymorth chi i gyd, ni fyddai'r llyfr hwn wedi gweld golau dydd.

Arthur Tomos
Chwefror, 1992

Cyflwyniad

Yr ydym wedi mynd yn bobl bwysig dros ben, yn rhy bwysig i werthfawrogi straeon sydd â thipyn o lastig yn eu penolau nhw. Dyna yw'r argraff a gefais yn ystod y blynyddoedd diwethaf. Mae'r hen fyd 'ma wedi mynd yn rhy faterol o lawer; aeth hunanoldeb yn rhemp ac yn glwy cymdeithasol. Pobl yn siarad mewn ieithoedd dieithr jargonaidd, a'u Cymraeg artiffisial wedi ei gloywi gyda Dettol yn lle defnyddioldeb a difyrrwch.

Aeth culni crefyddol y ganrif ddiwethaf yn gulni cymdeithasol ddiwedd y ganrif hon. Cerdd Dant a chynghanedd yn cael eu llusgo dan brotest i gefn Volvo a'r Babell Lên grand yn lle i 'gael eich gweld' o'i chymharu â'r hen gwt ieir annwyl a fu. Un o'r peryglon mawr yn y newid hwn yw creu adwaith ymysg y Cymry Cymraeg cyffredin, gan beri iddynt feddwl nad yw eu Cymraeg yn ddigon da ac nad ydynt yn ddigon derbyniol fel Cymry. Gocheled pawb rhag defnyddio'r Gymraeg fel ffon fesur snobyddiaeth — fe fyddai hynny'n angau i'r iaith fel iaith bob dydd — a Duw a ŵyr faint o ddylanwadau eraill sydd yn bygwth ei bodolaeth. Petai'r Gymraeg yn darfod fel iaith bob dydd yna fe fyddai Cymru yn peidio â bod yn genedl — mae hynny'n syml o amlwg.

Petai'r iaith yn darfod, yna un o'r 'cashiwalitis' cyntaf fyddai'r dyn celwydd golau, achos pe collid ei gyfrwng yna byddai ei straeon yn darfod hefyd. Fedrai'r Cymro ddim traethu mor rymus yn ei ail iaith. Byddai colli ei brif gyfrwng yn golygu colli ei hyder a cholli'r ddawn i ddweud y straeon. Byddai colli ei gynulleidfa naturiol hefyd yn ergyd farwol iddo.

Ond mae'r iaith yn fyw o hyd, ac mae'r straeon yn dal i gael eu creu a'u dweud. Prif bwrpas y gyfrol hon yw cyhoeddi casgliad o straeon celwydd golau ac nid i roi llwyfan i mi bregethu, er fy mod yn dal i gredu'n gryf iawn yn y ffaith fod parhad y dyn celwydd golau a'i straeon yn ffon fesur hwylus i ganfod cryfder yr iaith a'i gwytnwch hi.

Rhestr testunau Eisteddfod Genedlaethol Caernarfon, 1979 oedd yn bennaf gyfrifol am grisialu fy niddordeb mewn straeon celwydd golau. Llwyddodd hynny i wneud imi sylweddoli fod gennyf nifer o straeon ar fy nghof a oedd yn werth eu cofnodi — os oedd y 'Steddfod yn meddwl cynnal cystadleuaeth casglu straeon celwydd golau, yna mae'n rhaid fod gwerth iddynt. Yr oeddwn wedi bod yn hel ambell stori a ddywedai Caradog Hughes, cymeriad lliwgar o Benmachno, ac amryw o straeon eraill a glywais gan fy nhad a thrigolion eraill y pentref, felly yr oeddwn yn teimlo y gallwn lunio rhyw fath o gasgliad. Ond er imi roi'r straeon hynny ar bapur, ni yrrais y casgliad i'r gystadleuaeth. Teimlwn nad oedd yn gasgliad digon swmpus a safonol ar gyfer cystadleuaeth ym mhrifwyl ein cenedl. Yr oedd rheswm arall, hefyd. Ofnwn y byddai Crad yn dod i glywed am y casgliad ac felly fe allai beidio ag adrodd rhagor ohonynt wrthyf am y gallai feddwl fy mod yn gwneud hwyl am ei ben. Erbyn hyn, rwy'n falch imi beidio â chystadlu — mae'r casgliad hwn yn llawer mwy ac yn cynnwys llawer iawn o straeon o ardaloedd eraill.

Credaf hefyd, mai dyma'r amser i gyhoeddi'r casgliad am nad yw'n debygol o wneud llawer o wahaniaeth. Rwyf wedi gadael Penmachno ers rhai blynyddoedd bellach, ac nid wyf yn gweld Crad yn aml iawn erbyn hyn. Wedi dweud hynny, a minnau'n byw ym Mhorthmadog, lle mae ambell un yn gallu eu 'deud nhw', mae yna berygl i'r rheiny deimlo na ddylient ddweud y straeon, ond rhaid cymryd y siawns. Un peth sy'n sicr, nid oes gennyf ond edmygedd at eu dawn.

Beth yn union yw stori gelwydd golau? Beth sy'n gwneud stori felly yn un dda ac yn un gofiadwy? Wel, mae ateb syml i'r ddau gwestiwn, sef stori sydd yn amlwg yn gelwydd pur ond sy'n gwneud dim drwg i neb, a stori sy'n creu digon o adloniant ar yr un pryd. Fe all celwydd maleisus gael effaith ar bobl eraill ond nid yw celwydd golau yn cael effaith ar unrhyw un ond y sawl sy'n ei hadrodd, efallai. Er mai fel celwydd golau yr wyf yn gyfarwydd â'r math yma o stori, eto fe'i gelwir weithiau yn 'gelwydd gwyn' (o'r Saesneg *white lie* mae'n debyg), stori dal (o'r Saesneg *tall story*) ac yn syml weithiau yn 'gelwydd' (nid anwiredd).

Y cwestiwn nesaf yw beth sy'n gwneud i bobl eu hadrodd — nid yn ail-law, ond eu creu. Mae tystiolaeth ar gael ei fod yn draddodiad teuluol. Fe wn i am bedwar brawd oedd yn gallu eu

'deud nhw', fe wn i hefyd am dad a mab mewn dwy ardal sydd yn meddu ar yr un ddawn. Rheswm arall yw, mae'n debyg, fod ambell un yn dymuno, neu'n deisyfu gwneud pethau anarferol, neu yn ceisio creu'r argraff eu bod wedi gweld rhywbeth anarferol. A dyna'r allwedd i'r grefft, mae'n debyg. Rhyw orchest yw hi ganddynt, rhywbeth heddiw a fyddai'n cael ei gysylltu â'r gair 'macho'. Rhowch ddau o'r straewyr hyn gyda'i gilydd ac mi gewch ymryson na fu erioed o'i fath mewn unrhyw eisteddfod.

Dynion ydynt i gyd. Chlywais i erioed sôn am ferched yn meddu ar y ddawn hon, er mae'n siŵr fod rhai ar gael yn rhywle. Efallai fod merched yn eu dweud nhw mewn rhyw wlad arall gan nad crefft gynhenid Gymreig yw hi o bell ffordd, er bod naws Gymreig i'r straeon a'r dull o'u dweud. Y dynion hyn oedd yn creu adloniant mewn sgwrs pen ffordd neu ganol pentref ac ardal, hwy oedd yn difyrru eu cyd-drigolion ac mae'n rhaid bod eu dylanwad yn gryf iawn gan fod y straeon yn dal i gael eu hadrodd hyd heddiw er bod rhai o'r cymeriadau oedd yn eu dweud wedi marw ers degau o flynyddoedd.

Wrth wrando ar rai o'r arbenigwyr yn siarad, ceir yr argraff mai crefft sydd wedi marw yw'r gallu i ddweud straeon celwydd golau, crefft oedd yn perthyn i'r oes honno pan oedd dynion yn torri gwair gyda phladur ac yn eistedd yn hapus o gwmpas y tân mawn. Wrth greu darlun gor-ramantus o'r cyfnod caled hwnnw, fe roddwyd camargraff ynglŷn â'r storïwr celwydd golau. Maent yn dal i dorri gwair yng nghefn gwlad Cymru heddiw, er mai peiriant sy'n gwneud y gwaith bellach, ac yn yr un modd mae'r straeon yn dal i gael eu hadrodd a rhai newydd yn cael eu creu, fel y mae pennod olaf y llyfr yn dangos. Gyda chrebachu'r ardaloedd Cymraeg ac o dan ddylanwad cryf y teledu, mae'n dilyn fod nifer y straewyr wedi lleihau. Ond efallai yn y diwedd, nad y rhai sy'n dweud y straeon fydd yn darfod o'r tir ond goddefgarwch ein cynulleidfaoedd. Mae'n rhyfedd gweld agwedd yn newid ymysg gwahanol oedrannau. Y rhai sy'n tueddu i wrando a mwynhau yw'r to hŷn, gan dderbyn yn naturiol y stori a'r sawl sy'n ei dweud, gan wybod drwy'r cyfan mai celwydd noeth yw'r cwbl. Clywais rai hŷn yn dweud mai 'romansho' (neu ramantu) wna'r storïwr, gan ymwrthod â'r gair celwydd er mwyn anwylo'r cymeriad.

Nid yw'r goddefgarwch cystal ymysg y canol oed, ac ymysg y to ifanc fe ddaw'r diffyg amynedd yn amlwg. Cafodd rhuthr bywyd yn gyffredinol, ynghyd â chywirdeb ffeithiol y teledu, ddylanwad garw arnynt fel na ellir mwyach ddioddef clywed rhyw rwdlyn gwirion yn rhaffu celwyddau. Yn wir, fe welais ambell un yn troi'n flin iawn wrth glywed un o'r straeon hyn yn cael ei dweud, gan wylltio a cherdded oddi yno.

Newidiodd natur y gymdeithas yn arw iawn dros y blynyddoedd. Bellach does gan bobl ddim amser i sgwrsio, ac, yn aml iawn, maent yn rhy bwysig i wrando. Rhyw bwysigrwydd yw hwn sy'n golygu na allant ddioddef rhywun yn dweud stori gelwydd golau am eu bod yn credu bod y storïwr yn gwneud hwyl ar eu pennau. Maen nhw'n credu bod unrhyw un sy'n dweud y fath stori yn eu hystyried hwythau yn dipyn o ffyliaid i wrando arno heb sylweddoli mai hwyl diniwed yw'r cyfan.

Mae tueddiad ymysg rhai o'r straewyr i rwdlan weithiau, i siarad yn wirion am bethau sy'n amherthnasol i'r sgwrs. Gallaf gredu fod hyn yn anfantais ond efallai mai swildod ydyw yn y bôn a'i fod yn ymddangos yn union fel petaech yn tiwnio radio — os nad ydych yn union ar y donfedd, mae'r sŵn yn aflafar ac yn ansoniarus, ond unwaith y cyrhaeddwch y donfedd iawn, yna gallwch fwynhau'r adloniant. Gwn fod un neu ddau yn rwdlan yn fwriadol er mwyn didol y gynulleidfa. Fe â'r sawl nad yw'n dymuno gwrando oddi yno ac yna daw'r straeon 'go iawn' allan i'r sawl sydd wedi aros i'w gwerthfawrogi.

Wedi penderfynu hel casgliad o'r straeon hyn, y broblem wedyn oedd sut i fynd o'i chwmpas i'w casglu. Gwyddwn fod ym mhob ardal nifer o'r straeon ar lafar o hyd ond y broblem fawr oedd lle i gychwyn. Yna cofiais am y gwas yn gofyn i'r meistr yn lle'r oedd i ddechrau clirio, a'r meistr yn ateb:

"Wrth dy draed, 'machgen i."

Felly dyma gychwyn 'wrth fy nhraed' a mynd yn ôl at atgofion fy mhlentyndod ac at y straeon hynny yr adroddai fy nhad. Wedyn, edrych o gwmpas pentref fy mebyd a cheisio dwyn straeon eraill i gof. Mae'n siŵr bod llawer o bethau yn aros yn y cof os yw pobl mewn oed wedi eu dweud wrthych pan oeddech yn eich arddegau cynnar. Yn yr oed hwnnw, yr ydych yn barod i wrando ac yn barod i gredu pob dim. Dyma enghraifft i brofi hynny.

Roedd gen i ddiddordeb mewn pêl-droed a phan ddywedodd rhyw gymeriad o'r pentref ei fod wedi bod yn gweld Rangers yn chwarae Celtic ym Mharc Ibrox, Glasgow ar ddechrau'r chwedegau, gyda 'hyndred and sefnti tŵ thowsand' o bobl yn gwylio'r gêm, edrychais arno gyda'm ceg yn llydan agored gan ei weld yn ŵr dewr wedi mentro i ganol cymaint o bobl. Dim ond yn ddiweddarach, pan yn hŷn, y cofiais y stori a sylweddoli mai ymestyniad go lew oedd iddi gan mai 118,567 oedd y record am y nifer i wylio gêm Rangers a Celtic ym Mharc Ibrox, a hynny yn 1939 pan oedd y cae yn dal llawer mwy o bobl.

Fe'm synnwyd gan nifer o bethau wrth imi gasglu'r straeon. Yn gyntaf, synnais o weld cymaint o wahanol fersiynau o'r un stori. Eto, onid yw hynny'n nodweddiadol o bob traddodiad llafar? Os oes amrywiaethau o'r un gân werin ar gael mewn gwahanol ardaloedd onid peth naturiol yw disgwyl cael amrywiaethau o'r un stori gelwydd golau? Teimlwn y dylid gosod y straeon cyffredin hyn gyda'i gilydd o dan un pennawd, ond eto defnyddiais ambell fersiwn wedyn pan yn sôn am gymeriadau arbennig.

Wyddwn i ddim i ba gyfeiriad yr awn wedi gadael Penmachno a Phorthmadog ond fe ddaeth eraill i'r adwy i'm tywys hyd eu hardaloedd a chyflwyno eu straeon. Fedrwn i ddim gadael y pwnc, chwaith, heb grybwyll y straeon celwydd golau neu'r syniadau amhosibl a geir yn ein caneuon gwerin ac yn ein llenyddiaeth. Gan mai cyffwrdd y maes hwn yn unig a wnes, mi gredaf fod lle i waith ymchwil go drylwyr ynddo eto i rywun.

Dyna ddigon o gyflwyniad. Mae'r straeon eu hunain yn ddigon heb orfod nodi'r awdur neu'r cyfrannwr. Gofynnodd ambell un imi beidio ag enwi'r cymeriad a luniodd y stori ac er mwyn arbed ei groen mi wnes innau gadw at y dymuniad — mae pawb eisiau byw! Ac os ydych yn gweld fy null o ddosbarthu'r straeon yn un blêr, y cwbl y gallaf ei ddweud ydyw ei fod yn gyson â'r straewyr eu hunain. Wedi'r cyfan, fedrwch chi ddim categoreiddio'r straeon yn hawdd, mwy na'r cymeriadau fu'n eu cyfansoddi. Petaent yn bobl sy'n ffitio'n hawdd i batrwm sefydlog, yna fyddai yna ddim y ffasiwn bethau â straeon celwydd golau.

Straeon a briodolir i fwy nag un cymeriad neu ardal

Mae'n anorfod rywsut fod yr un stori neu'r un math o stori yn codi ei phen mewn ardaloedd gwahanol gan wahanol gymeriadau. Gall fod nifer o resymau am hyn. Fe all fod un storïwr wedi ei chlywed gan rywun arall neu wedi ei darllen yn rhywle. Y cwbl fyddai ei angen wedyn fyddai newid yr enwau a'r lleoliad. Mae hefyd yn bosibl i un stori godi ei phen yn hollol ddigyswllt mewn dwy ardal wahanol os yw'r amgylchiadau a ddisgrifir yn y stori o fewn gallu dychymyg dau storïwr o'r un anian. Nid oes unrhyw un ardal yn hollol annibynnol — mae cysylltiad a chyfathrach rhwng ardaloedd yn digwydd yn naturiol ym marchnadoedd neu drefi marchnad yr ardaloedd hynny ac fe allai stori neu'r syniad y tu ôl i'r stori fod wedi treiddio i ardaloedd gwahanol o'r ganolfan farchnad gyfagos. Dyma'r enghreifftiau y deuthum ar eu traws dros y blynyddoedd diwethaf:-

Stori'r Milgi
Fe geir hon mewn llawer ardal. Deuthum ar ei thraws yn gyntaf pan glywais Crad Bach (Caradog Hughes, Ty'n Berth, Penmachno) yn ei hadrodd. Yn rhyfedd iawn, roedd fersiwn arall ohoni ar lafar ym Mhenmachno hefyd, hanes milgi gwas y Benar, felly dyma enghraifft o ddwy fersiwn wahanol o fewn yr un ardal.

Fel hyn yn fras mae'r stori'n cael ei dweud:

Roedd gan y cymeriad filgi cyflym i ddal ysgyfarnog a chwningen, ond trwy ryw anffawd, bu farw'r hen gi. Blingodd y cymeriad ef a gwneud gwasgod iddo'i hun allan o'r croen. Ymhen blynyddoedd wedyn, yr oedd yn cerdded am dro hyd gaeau'r fro â'i ffon yn ei law a'r wasgod amdano. Yn sydyn, cododd ysgyfarnog oddi ar ei gwâl gan redeg o'i flaen:

"A wir i chi," meddai, "dyma'r wasgod oddi amdanaf fel ergyd o wn a'i lapio ei hun o gwmpas y 'sgwarnog!"

Gan fy mod yn gyfarwydd iawn â'r stori cefais bleser wrth ddarllen yr amrywiad ar y stori sydd yn llyfr Eldra ac A. O. H. Jarman, *Y Sipsiwn Cymreig*:

Yr oedd Happy a'i gi yn mynd am dro pan welodd y ci ddwy ysgyfarnog yn y cae gwair. Rhedodd ar ei hôl a thorrwyd ef yn ddau hanner gan bladur. Daliodd dau hanner y ci y ddwy ysgyfarnog a'u dwyn at Happy. Yna glynodd y ddau hanner wrth ei gilydd a bu farw'r ci (mae amryw o fersiynau o'r stori hon ar gael hefyd a bydd yn ymddangos eto yn y llyfr).

Wel, yr oedd gan Happy dwll ym mhen-glin ei drowsus a chymerodd ddarn o groen y ci a'i wnïo dros y twll. A blwyddyn i'r diwrnod clywodd Happy y darn o'r croen a oedd ar ei drowsus pen-glin yn cyfarth arno.

Stori adeiladu'r fflatiau
Mae'r fersiwn yr wyf yn gyfarwydd â hi wedi ei lleoli yn yr Unol Daleithiau (neu'r 'Merica fel y byddaf yn cyfeirio at y lle o hyn ymlaen). Mae hynny'n rhoi mwy o bwysau ar y stori, mae'n debyg, i'w gwneud yn fwy credadwy. Dyma hi:

"Pan o'n i'n mynd i 'ngwaith bore 'ma, roedd 'na griw o ddynion ar gornel y stryd yn codi bloc o fflatiau, neu *apartments* fel y byddwn ni'n eu galw yn 'Merica.

"Pan o'n i'n dod arda o 'ngwaith ddiwedd y pnawn, roedd 'na deulu yn cael eu troi allan o un o'r fflatiau am beidio talu'r rhent!"

Ymddangosodd un fersiwn ohoni yn *Llafar Gwlad* gan gyfeirio at y ffaith bod 'William Prys yn adeiladydd cyflym'.

Bownsio i fyny ac i lawr

Ceir un fersiwn o'r stori hon gan Guto Roberts yn ei ddarlith *Ar lafar yn Eifionydd*:-

Roedd Robert Jones, Pencaenewydd (Golau) wedi bod yn gweithio yn America, ac un o'r straeon y bydda fo'n ei hadrodd fyddai honno amdano'i hun yn gweithio mewn ffatri deiars pan aeth honno ar dân ac yntau ar y pryd ar un o'r lloriau uchaf yn yr adeilad. Roedd y tân a'r mwg mor enbyd fel nad oedd modd iddo fo ddod o hyd i ben y grisiau, a chan fod y tân yn un o'r lloriau oddi tano, ei unig siawns i ddianc oedd trwy un o'r ffenestri.

Mi fuasai neidio o'r fath uchder yn ddigon amdano fo, wrth gwrs, a beth wnaeth o ond rhuthro i un o'r teiars a'i ollwng ei hunan i lawr yn hwnnw, a chan ei fod o wedi neidio o'r fath uchder mi fu'n bownsio i fyny ac i lawr am dair wythnos — ac mi fuasai wedi llwgu, medda fo, oni bai i bobol daflu ambell i fynsan iddo fo o dro i dro.

Ychydig o wahaniaeth sydd rhwng hon a fersiwn arall ohoni o ardal 'Stiniog. Yn honno, syrthio o ben *skyscraper* a wnaeth (eto yn y 'Merica) a digwydd glanio ar haenen drwchus o rwber oedd wedi ei osod i sychu y tu allan i ffatri gyfagos. Taflu bisgedi iddo y bu'r bobl y tro hwnnw.

Cyn gadael Robert Jones, cystal fyddai imi adrodd stori arall o'i eiddo, un sydd yn weddol gyfarwydd ac yn un y down ar ei thraws yn nes ymlaen wrth sôn am y 'Deryn Mawr. Roedd Robert Jones hefyd wedi dod wyneb yn wyneb ag anifail gwyllt, ond yn ei achos ef, baedd gwyllt, yn un o goedwigoedd America, a hwnnw wedi anelu amdano fo efo'i geg agored yn barod i'w larpio, a beth wnaeth o ond rhoi ei fraich drwy'i geg o, cydio yng nghynffon y baedd, a'i droi o y tu chwith allan!

Codi'r goeden o'i gwraidd

Mae llawer o ddweud ar hon hefyd. Dyma sut y cefais hi gan Tecwyn Lloyd. Am Gladston Ifans y sonia ef:-

Ar un adeg, bu'n ffermio allan ar y paith; tua chwe mil o erwau. Poenid ei gymydog agosaf — rhyw bum milltir i ffwrdd — gan frain a ddeuai i bigo a bwyta'r grawn ar ôl ei hau a chyn iddo egino. Mae brain anferth yn America, rhai llawer mwy nag sydd yng Nghymru, wrth gwrs. Yr anhawster oedd medru mynd yn ddigon agos atynt i'w saethu a gofynnodd y cymydog am gyngor gan Gladston. Aeth yntau draw i weld y tir a sylwodd fod anferth o goeden dderwen yn tyfu ar ganol y man lle heuid y grawn.

"Prynwch ddau ganpwys o gliw," meddai Gladston, "a'i roi ar hyd canghennau'r goeden acw achos mae'r brain yn mynd arni i orffwys ar ôl bwyta. Wedyn, mi fyddan nhw'n sownd ac mi fedrwch chi a chymdogion eraill fod o fewn cyrraedd efo'ch gynnau."

Felly y bu. Gludwyd y canghennau i gyd a chodi mannau cuddio o amgylch y goeden. Daeth y brain, ac fel arfer aethant i glwydo ar y canghennau heb amau dim. Gyda'i gilydd, dyma ugain o ynnau dwbl baril yn tanio a chrawcian mwyaf dychrynllyd yn dod o'r goeden. Mwg powdwr du ymhob man.

"A wyddoch chi," meddai Gladston, "doedd y goeden ddim yno, roedd hi wedi ei chodi o'r gwraidd!"

Mae hyd yn oed gliw America ganwaith cryfach na dim y gwyddom ni amdano.

Ond, 'rhoswch funud, mae gennym ni yng Nghymru y gliw i gystadlu â gliw'r Ianci. Mae'r fersiynau sydd ar gael o'r stori wedi eu lleoli yng Nghymru yn gwneud i rywun feddwl fod yr hyn a elwir yn *Birdlime* yr un mor gryf os nad yn gryfach na gliw 'Merica. Dyna a ddefnyddir ym mhob fersiwn arall o'r stori hon a glywais i. Mae'n debyg nad oedd diwedd arferol y stori yn ddigon dramatig i William Gruffydd, Tŷ Chwarel, Dwyran achos mae ef yn mynd ymhellach fyth:-

"Cododd y brain a chario'r goeden dros y Fenai nes iddi syrthio yn y Felinheli, ac maen nhw'n dal i wneud llongau allan o'r coedyn hyd heddiw!"

Y Daten Fawr

Clywais ddwy fersiwn o'r stori hon, un wedi ei lleoli yn sir Benfro a'r llall wedi ei lleoli yn y 'Merica. Daw'r fersiwn 'Merica o fwy nag un ardal dwi'n credu.

Roedd ffermwr yn codi tatws ac roedd rheiny'n rhai anferth. Yn wir, methodd yn lân â symud un ohonynt o'r cae. Roedd honno mor fawr nes i'r ffermwr benderfynu ei gadael hi ar ganol y cae a chodi siop chips wrth ei hochor. Bu'n gwerthu chips o'r daten honno am fisoedd.

Clensio ewinedd y llew
Stori arall â nifer o amrywiaethau iddi yw'r stori hon. Priodolir un fersiwn ohoni i'r 'Deryn Mawr' neu Gruffydd Jones. Dyma fersiwn arall:-

Roedd cymeriad arbennig yn byw mewn rhan o Affrica lle'r oedd llew mawr cas yn poeni'r brodorion byth a beunydd. Gofynnwyd iddo eu helpu i ddal y llew.

Cafodd afael ar fwrdd du mawr a dyma fo'n tynnu llun oen arno a rhoi tipyn o baent coch fel gwaed ar y llun. Wedi gwneud hyn, cuddiodd y tu ôl i'r bwrdd du gan gydio mewn morthwyl. Toc, fe welodd y llew cas yn dod yn nes ac yn nes a phan welodd hwnnw yr oen dyma fo'n neidio amdano ac yn plannu ei ewinedd trwy'r bwrdd du. Roedd y cymeriad arbennig yma yr ochr arall a dyma fo'n clensio ewinedd y llew gyda'r morthwyl. Dyna sut y daliwyd y llew.

Cefais afael ar fersiwn arall o'r un stori gan Merêd. Soniai am gymeriad o ardal 'Stiniog o'r enw William Henri.

Roedd o'n digwydd bod ar y pryd mewn tre fach ym mherfeddion y 'Merica ar ddiwrnod poeth iawn. Cerddai i lawr stryd fawr y dref ac nid oedd yr un enaid byw i'w weld yno. Roedd pawb o dan glo yn ôl pob golwg ac yntau'n methu â deall pam. Yn sydyn, ac yntau'n digwydd sefyll gyferbyn â phoster enfawr yn hysbysebu syrcas yn y dref gyda llun llew ffyrnig fel pe'n llamu allan ohono, dyma fo'n gweld teigar enfawr yn cerdded ar hyd y stryd tuag ato. Rhaid oedd ffoi oddi wrth y teigar, ond yr oedd yn rhy hwyr. Dim ond un peth oedd i'w wneud, sef cuddio y tu ôl i lun y llew. Roedd y poster wedi ei ludo ar ddarn o sinc. Edrychodd drwy dwll hoelen yn y sinc ac fe welai'r teigar ar y stryd yn edrych ar yr arwydd. Dyma'r teigar yn dechrau cynhyrfu ac yna'n llamu am y llew oedd ar y poster. Daeth ei ewinedd drwy'r poster a thrwy'r sinc. Gafaelodd William Henri mewn darn o fricsen a oedd yn digwydd bod yn gorwedd yn hwylus gerllaw a chlensio'r ewinedd yn y fan a'r lle.

Coesau'r ci wedi gwisgo

Clywais y fersiwn hon ohoni'n cael ei phriodoli i gymeriad o Lanrwst o'r enw Jac Zachariah, neu Jac Sac fel yr adwaenid ef, ond mae'n stori lled gyffredin ac fe gwyd ei phen eto yn y llyfr hwn.

Bu Jac ar y dôl am gyfnod a phan âi i'r swyddfa i nôl ei bres fe'i gwelid o yn sownd wrth glamp o filgi brych fel arfer. Yr adeg honno, roedd yna holi digon milain ar y di-waith i ganfod os y buon nhw'n chwilio'n ddigon caled am joban neu beidio. Ymhen rhai wythnosau, cafodd Jac gil-dwrn am fynd â chi bach am dro, ac i ladd dau dderyn efo'r un garreg fel petai, aeth Jac â fo i Swyddfa'r Dôl.

"Nid y ci yma oedd gen ti o'r blaen," meddai'r swyddog.

"Ia, siŵr dduwcs," meddai Jac, "— 'i goesau sydd wedi gwisgo wrth gerdded o gwmpas y wlad 'ma efo fi i chwilio am waith."

Pwy ydi dy gyfaill?

Gan fod ymestyn stori ddiniwed yn aml wrth wraidd celwydd golau, peth naturiol felly yw cysyltu'r stori ag adnabyddiaeth o berson enwog, yn enwedig os oes sôn amdano'n digwydd bod ar y pryd. Mae'r storïwr yn aml yn ddigon pwysig i'w osod ei hun ar yr un lefel â'r enwogion, ac fe fydd ei gynulleidfa yn aml yn ei osod yno hefyd. Dyma ddwy stori sy'n dangos hyn:-

Roedd John Jones, Glan Graig yn gymeriad a aeth bob cam i Lundain i edrych am Siôr y Chweched pan oedd hwnnw'n wael. Cadwai Churchill gwmni i John Jones wrth iddynt fynd i mewn i ystafell wely'r brenin. Ac meddai'r brenin:

"Bachan, Glan Graig, shwd wyt ti? A phwy wyt ti'n dweud yw hwn sy 'da ti, John?"

Mae'r stori am 'gyfaill y Pab' yn gyffredin i lawer ardal. Ym Mhenmachno, Crad Bach oedd hwnnw, wrth gwrs. Safai'r Pab yn ei wisg wen ar falconi'r Fatican. Edrychai'r miloedd yn y dyrfa i fyny at y gŵr mewn gwyn yn sgwrsio'n hamddenol â gŵr arall ar y balconi. Dyma un yn y gynulleidfa yn troi at un arall ac yn gofyn:

"Pwy 'di nacw efo Crad Ty'n Berth dwad?"

Llygad Tsieini (neu Tsieni)
Roedd yr hen greadur yn gorfod mynd i'r ysbyty i gael triniaeth ar ei lygaid — cael eu tynnu nhw allan, llnau'u cefnau nhw ac wedyn eu rhoi nhw yn eu holau. Ar ôl y driniaeth, aeth cymydog i edrych amdano a doedd ganddo ddim i'w wneud ond cwyno am y ffordd y cafodd ei drin.

"Yn gynta, dyma nhw'n fy rhoi i ar droli a mynd â fi i'r theatr a rhoi anasthetig i mi — ond ddaru o ddim gweithio'n iawn achos mi WELIS i nhw'n tynnu fy ll'gada i allan."

Enw yn y papur
Mi glywais amryw yn dweud hyn yn dilyn noson fawr ar y cwrw mewn 'steddfod neu ar ôl gêm rygbi — "Dwi am brynu papur newydd i edrych ar y 'Deaths' i weld os ydw i'n dal yn fyw." Fe aeth hon yn ystrydeb bellach, diflannodd ei newydd-deb fel stori gelwydd golau. Yn aml, nid y stori ei hun sy'n bwysig ond y sawl sy'n ei dweud.

Y ci fu'n crwydro

Mae gan Tecwyn Lloyd fersiwn o hon ac rwyf wedi cynnwys honno yn y llyfr. Dyma fersiwn a ymddangosodd yn *Llafar Gwlad*.

Roedd gan ryw ffermwr ddaeargi arbennig iawn a hwnnw'n tyrchu'n ddyfn i bob daear y gollyngid ef iddi. Un tro, bu ar goll am ddyddiau ar ôl iddo gael ei ollwng i ddaear ar Fynydd Hiraethog — ond ymhen hir a hwyr, mi ddaeth i'r golwg mewn pwll glo yn Bersham!

Y swêds mawr

Fel yn achos y daten fawr mae ambell amrywiaeth ar stori'r swêds mawr ar gael. Diddorol yw cymharu dwy fersiwn, un sydd i'w chael yng nghyfrol Bob Owen (Pernant), Melin-y-coed, Llanrwst a'r llall yng nghyfrol atgofion Huw Williams, Hafod Elwy ar Fynydd Hiraethog. Nid oes cymaint â hynny o bellter rhwng y ddwy ardal, ac fe fydd trigolion y ddwy ardal yn cyfarfod yn aml mewn marchnad, 'steddfod a digwyddiadau cymdeithasol eraill. Mae hi felly yn bosibl fod gwreiddyn y stori wedi tyfu o'r un man cyn lledu i'r dwy ardal. Dyma fersiwn Bob Owen:

Roedd y gŵr a adroddai'r stori wedi prynu hadau swêds yn siop E. B. Jones, Llanrwst a "dyna'r swêds gorau a'r rhai mwyaf a welais i erioed. Wel, mi gollais i bymtheg o fyllt, ac mi fues i'n chwilio amdanyn nhw ym mhob man, ac yn y diwedd mi ddois o hyd iddyn nhw wedi byta i mewn i un o'r swêds ac wedi mynd i fewn iddi o 'ngolwg i."

Mae Huw Williams yn sôn am Samuel Davies o Lansannan yn dweud stori debyg. Dyma hi:

Un Calan Mai roedd Samuel Davies wedi colli dafad, ac er holi a stilio doedd dim golwg o'r ddafad yn unlle. Aeth i'w gae swêds i'w tocio un diwrnod a sylweddolodd, er ei fawr syndod, fod yna un swedjen yn tyfu yn union ar ganol y cae ac yn anferth o ran maint. Fuo raid iddo fo gael trosol i'w thynnu hi'n rhydd — roedd hi mor fawr â hynny. Wedyn roedd eisiau ei hagor hi a chymryd bwyell i'w hollti. A dyna lle'r oedd yr hen ddafad tu mewn wedi dŵad ag oen!

Trenau 'Merica

'Merica neu weithiau Canada oedd y lleoliad yn ôl pob fersiwn a glywais i o'r stori hon. Fel arfer, mae'r stori yn debyg iawn ym mhob fersiwn ac rwyf wedi cynnwys yr ail stori gyda'r gyntaf achos mae'r ddwy'n dod gyda'i gilydd bob tro.

Roedd yna andros o drên hir yn teithio drwy'r Rockies. Roedd y trên mor hir, a'r troadau o gwmpas y mynyddoedd mor fawr fel bod gyrrwr yr injan gyntaf yn ysgwyd llaw gyda gyrrwr yr injan olaf.

Wrth ddod i lawr o'r Rockies, roedd y trên yn codi sbîd gan fod y rhediad mor serth. Erbyn cyrraedd y tir gwastad, roedd yn rhedeg mor gyflym hyd nes ei bod yn pasio caeau swêds, caeau tatws a chaeau moron gan wneud i rywun feddwl fod y trên yn pasio caeau lobsgows.

Llawer o ddynion yn cymysgu mwstard

Er mwyn cyfleu maint gwesty neu fwyty fe adroddir straeon sy'n sôn am y nifer o ddynion sy'n cymysgu mwstard yn y gegin. Mae cymysgu mwstard yn waith digon dibwys fel arfer, felly'r awgrym yw os oes cymaint yn gwneud y gwaith hwnnw yna fod y lle'n andros o le mawr. Gall y nifer amrywio rhwng dau a phumP ar hugain.

Dyma un fersiwn ohoni:
Roedd yna andros o hotel fawr yn Chicago, meddai cymeriad arbennig. Roedd hi mor fawr, mi ro'dd 'na bump ar hugain o ddynion yn gwneud dim byd 'blaw cymysgu mwstard efo rhawiau.

Y Tywydd

Fe glywir yn aml am eithriadau o dywydd, yn law mawr, yn eira neu yn genllysg fel marblis, ac fe rydd hyn gyfle gwych i greu stori gelwydd golau. Yn wir, cefais innau fy amau o fod yn dweud celwydd go iawn un tro, a hynny'n hollol anfwriadol.

Roeddwn yn adrodd hanes y tywydd eithriadol a gafwyd yn ardal Porthmadog ar y dydd Gwener wedi'r Nadolig 1990. Fe fwriodd law na welais mo'i debyg o'r blaen. Roedd canol Tremadog o dan ddŵr. Wrth edrych allan drwy ffenest y gegin fe welwn olygfa anhygoel o'm blaen.

Rhyw fis yn ddiweddarach, roeddwn yn disgrifio'r glaw wrth gyfaill o ardal arall a oedd heb gael y ffasiwn law ag a gafwyd ym Mhorthmadog y diwrnod hwnnw. Wrth ddisgrifio'r ardd o dan ddŵr a'r ceir yn nofio bron ym maes parcio Kwiks gyferbyn â'r tŷ acw, fe synhwyrais yng ngwên y cyfaill, ei fod yn amau'r stori yn gryf iawn. Wedi imi sylweddoli hynny, bûm yn ceisio dychmygu faint o rychwant oedd i'r dyn celwydd golau yn y glaw hwnnw, fe fyddai'n werth clywed un ohonynt yn disgrifio'r olygfa honno.

Yn *Llafar Gwlad*, fe restrodd Twm Elias nifer o ymadroddion tywydd sydd yn cynnwys elfennau o gelwydd golau. Dyma rai enghreifftiau:

> "Yn bwrw cenllysg fel cerrig beddi." (Blaenau Ffestiniog)
> "Yn ddigon oer i rewi cathod." (Uwchaled)
> "Yn ddigon oer i rewi cathod mewn popdy." (Dinbych)
> "Yn ddigon oer i rewi'r tegell ar ben tân." (Llanilar)
> "Yn ddigon oer i rewi'r botel ddŵr poeth yn y gwely." (Llanilar)
> "Yn ddigon oer i rewi baw yn nhîn deryn." (Llŷn)

A dyma ddywediad a glywais gan fy nhad ac a arferid yn ardal Penmachno ers talwm i ddisgrifio tywydd poeth iawn:
"Mae hi mor boeth nes bod gwybed yn rhechan."

★　★　★

Yn ôl Jacob Davies, roedd cymeriad yn Rhandirmwyn o'r enw Dai Celwydd Golau. Yn ystod gaeaf caled 1884 fe aeth i'r mynydd i hel y defaid i lawr cyn i'r eira mawr ddod. Rhedodd y ci ar ôl un hen ddafad, ac yn wir pan neidiodd honno i'r awyr, roedd y tywydd mor oer "nes iddi hi aros lan" — wedi rhewi yn ei hunfan yn yr awyr!

★ ★ ★

Dywed un stori o Sir Fôn am forwr ar fordaith i 'Merica yn cael ei yrru i ben y mast fel "lwc owt" adeg niwl trwchus. Ar ôl bod yno am sbel, sylweddolodd fod y llong wedi mynd hebddo. Doedd dim i'w wneud wedyn ond cerdded i'r lan ar wyneb y niwl a chyrraedd ymhell o flaen y llong!

★ ★ ★

Ifan Aberdaron yn 'Nyth y Frân' adeg storm ym Mae Biscay. Roedd y llong yn gwyro drosodd gymaint yn y dymestl nes fod Ifan druan yn gwlychu godre ei gôt ar yr un ochr yn gynta fel y cyffyrddai'r môr, ac yna ar yr ochr arall fel y gwyrai i'r cyfeiriad arall!

★ ★ ★

Bu gŵr o ardal Clynnog yn gweithio yng Nghanada ac yn ennill bywoliaeth fel heliwr am sbel. Disgrifiai fel yr oedd hi'n beryg iawn yn y gaeaf os oeddech eisiau gwneud dŵr rhag ofn i'ch ffrwd ddŵr rewi'n sydyn ac i chwithau fynd yn sownd yn yr eira! Dro arall bu bron iddo gael ei larpio gan arth. Roedd wedi colli ei wn a'i gyllell a'r arth yn rhuthro amdano fel trên. Yr unig beth ar ôl iddo i'w wneud oedd poeri arni! Ond wyddoch chi be, roedd hi mor oer nes y rhewodd y poer, taro'r arth yn ei llygad a'i lladd yn gelain gorff yn y fan a'r lle!

★ ★ ★

Cariai Rhys y Tryal, Mynydd Bach fawn o'r mynydd ac roedd niwl mor dew nes ei fod yn gweld ôl botymau ei gôt!

*　*　*

Roedd Tomos Dafis, Pont Llanio, Llanddewibrefi yn ŵr gyda thrwyn cam. Y rheswm am hynny, meddai ef, oedd am fod mellten wedi ei daro ryw dro!

*　*　*

Ceir hanes rhai yn teithio ar gefn ceffylau drwy wynt oedd mor ofnadwy o gryf nes ei fod yn chwythu'r pedolau i ffwrdd oddi ar draed y ceffylau.

*　*　*

Roedd William Gruffydd, Tŷ Chwarel, Dwyran yn croesi'r cyhydedd mewn llong hwyliau.

"'Dach chi'n gwybod ei bod hi'n eithriadol o boeth yno yn ystod y dydd, ond wyddoch chi ddim pa mor oer ydi ganol nos. Mae hi'n rhewi'n gorn."

Wrth groesi'r cyhydedd roedd bwlyn bach wedi syrthio o ben y mast ac mi gafodd William Gruffydd y gwaith o'i osod yn ôl yn ei le.

"Dyma fi'n dringo'r mast a hwnnw'n rhew i gyd. Pan gyrhaeddais y top mi welwn fy mod wedi gadael y morthwyl ar y dec. Doedd ond un peth i'w wneud, yn hytrach na gorfod mynd i lawr i'w nôl. Dyma fi'n piso i lawr ar y morthwyl. Roedd y piso'n rhewi wrth syrthio ac mi rewodd yn sownd i'r morthwyl, a thrwy hynny mi lwyddais i halio'r morthwyl i fyny i ben y mast!"

*　*　*

Mi glywais i hon yn cael ei dweud nifer o weithiau, ond fel jôc yn hytrach na stori gelwydd golau:

Dau ddyn yn cymharu eu profiadau:

"Wsti be," meddai un, "pan o'n i'n Alaska, roedd hi mor oer nes oedd y geiriau yn rhewi wrth ddod allan o dy geg di, ac mi oedd yn rhaid eu rhoi mewn padell ffrio ar y tân i'w dadmer er mwyn i'r cwmni ddeall beth yr oeddet yn geisio ei ddweud."

"Wel pan o'n i yn yr Antartic," meddai'r llall, "mi es i 'ngwely un noson oer iawn. Pan ddaru fi ddeffro yn y bore, roedd dau lwmp o rew wrth fy ochor yn y gwely. Dyma fi'n eu rhoi nhw mewn sosban ar y tân ac ymhen ychydig mi ddaeth 'na ogla mwya dychrynllyd. Mae'n rhaid fy mod wedi taro dwy rech yn fy nghwsg!"

★   ★   ★

Nid am y 'Merica y soniai yr hen John Roberts Ty'n Rhyd ond am bethau yn nes adre. Yn y dyddiau cyn bod y trên yn dod i Gorwen, rhaid oedd nôl llwythi glo o Riwabon — taith hir gyda cheffylau a throl. Fel arfer, teithid i lawr i Riwabon drwy'r nos. Un gaeaf, yr oedd yn eithafol o oer a John a'i wedd yn mynd i nôl llwyth o lo. Yr oedd mor oer nes bod pibonwy troedfedd o hyd yn crogi wrth drwynau'r ceffylau a rhaid oedd cerdded mor gyflym ag y gellid er mwyn cadw gwres y corff. Wedi pasio Glyndyfrdwy, goddiweddwyd trol a gwedd arall ar yr un perwyl ond roedd y wagnar hwnnw yn eistedd ar gob y drol. Cynghorodd John ef i gerdded, ond na, meddai'r llanc, "pam cerdded a minnau'n cael fy ngharNo?"

Dyna fu, aeth John a'i wedd yn eu blaenau, "ond roeddwn i wedi sylwi," meddai, "fod o'n siarad braidd yn dew y pryd hynny."

Yn Llangollen, roedd lle i aros am frecwast ac yno yr oedd John pan ddaeth y wedd a'r drol arall i'r golwg. Doedd dim sôn am y wagnar. Wedi chwilio, dyna lle'r oedd yn ei blyg ar lawr y drol wedi rhewi'n gorcyn! "Doedd dim byd amdani," ebe John, "ond cael twbiad o ddŵr cynnes ar unweth a'i roi o ynddo fo'n reit dringar, a wir, mewn tipyn, mi feiriolodd a 'stwytho. Doedd o ddim gwaeth, ond mi gerddodd wedyn o'r Llan i Riwabon."

Na, wyddom ni ddim beth ydi gaea caled!

★   ★   ★

Mae'r tŷ 'cw mor ddrafftiog — pan mae hi'n wynt mae 'na donnau ar wyneb y dŵr ym mhan y tŷ bach!

★ ★ ★

Roedd y gwesty mor damp roedd y pryfed yn dioddef o'r cricmala!

★ ★ ★

Mae'r seler acw mor damp yr ydym yn talu am drwydded pysgota yn hytrach na thalu trethi!

★ ★ ★

Mae'r seler acw mor damp, 'dan ni'n gosod gwestan (croglath dal eog) yn hytrach na thrap llygoden!

★ ★ ★

Cafodd un o hogiau'r Telecom ym Mhorthmadog ei alw allan i ardal Llanaelhaearn yn ystod gwynt mawr Tachwedd, ddwy flynedd yn ôl. Roedd gwifrau'r teleffon i gyd wedi'u chwythu i lawr.

"Dyma fi'n troi'r fflashlamp i ffeindio'r polyn, ac wsti be, roedd y gwynt mor gryf nes y plygodd y golau yn ôl i'r lamp!"

★ ★ ★

Hen filwr yn ardal Nant Conwy yn dweud ei hanes yn y Rhyfel Mawr. Roedd fy nhad yn digwydd trafod y tywydd gyda fo ar fore rhewllyd ym mis Ionawr.

"Duw, 'di hyn ddim byd," meddai fo. "Pan o'n i ar y Somme yn 1917 mi nath hi aea calad iawn. O'n i'n edrach ar ôl ceffylau'r gynnau mawr, ac un noson mi rewodd hi'n gythreulig o galed. Ches i ddim amsar i roi sacha dros y ceffyla i gyd. Pan es i atyn nhw yn y bora, roedd un wedi rhewi'n gorn yn lle o'dd o'n sefyll.

"Doeddan ni ddim wedi cael bwyd ers dyddia, a phan gododd yr haul a dechra toddi'r ceffyl, dyma fi'n tynnu'r 'bayonet' a dechra torri'r cig oddi arno. Mi ll'neuais o'n lân ac mi gafodd y 'battery' i gyd wledd o gig ceffyl am ddyddia.

"Mi safodd 'i sgerbwd o am ddyddia ond mi hitiodd hen siel German o yn ei gefn a'i chwalu."

* * *

Hen frawd o Amlwch yn adrodd ei hanes yn mynd drwy'r Cape. Roedd ar ben y mast ac mi ddaeth yn niwl mawr. Roedd hi'n gymaint o niwl fel yr arhosodd ar ben y mast gan nad oedd yn gallu gweld ei ffordd i lawr. Mi ddaeth hi'n storm fawr wedyn, a'r niwl yn dal mor drwchus. O'r diwedd dyma'r storm yn torri ac mi benderfynodd ddringo i lawr y mast. Pan ddaeth i waelod y mast doedd dim hanes o weddill y llong. Roedd y mast wedi torri yn y bôn ond gan fod y niwl mor drwchus roedd o'n ddigon i ddal y mast i fyny. Dyma fo'n taflu'r mast ar ei hyd yn y dŵr ac eistedd un goes bob ochor iddo fo, a dŵad felly am fisoedd nes y daeth i'r lan.

* * *

Clywyd cymeriad arall o Amlwch yn adrodd ei hanes yn croesi'r Atlantic adeg storm fawr. Yn sydyn, dyma don anferth yn dod dros y llong ac i lawr y corn gan ddiffodd y tân a boddi pawb oedd arni ond fo. Wedi iddo ddod ato'i hun yn weddol, dyma fynd ati i sychu bob man, ail-gynnau'r tân a glanio'r llong (oedd tua deng mil o dunelli) ar ei ben ei hun bach yn Efrog Newydd.

* * *

Roedd cymeriad o'r enw Chris Shepherd yn gyrru lori gwaith 'Cookes', Penrhyndeudraeth, i'r Alban un tro. Cafodd ei ddal mewn eira mawr yn ymyl Derby. Daeth allan o'r lori i gael gwell golwg ar y daith oedd o'i flaen. Dechreuodd gicio'r eira o'i amgylch a baglodd dros bolyn teliffon.

* ★ ★

Dywedai cymeriad o Nantlle ei hanes yn cario cerrig o'r chwarel i orsaf reilffordd Tal-y-sarn.

"Dyma hi'n dod yn storm o derfysg ofnadwy. A 'ma felltan — a dyma weld melltan yn dod amdana i, y fi a'r ceffyla. Ac o fewn chydig lathenni ar y ffor heuar, mi rodd 'na 'boints' — hynny ydi, lle 'dach chi'n troi i'r wagenni fynd ffor arall. A dyma fi'n rhedag i gwr y felltan, a throi'r 'points', a mi a'th fforno, ne mi fysa di 'nharo i."

★ ★ ★

Pan oedd Tomi, un o feinars (creigwyr) chwarel ithfaen Trefor, yn hwylio o Lerpwl i'r 'Merica fel sawl un o'i gyfoedion yn ail hanner y ganrif ddiwethaf, gorchuddiwyd y llong gan niwl trwchus wedi rowndio Caergybi. Hysbyswyd y capten fod un ar fwrdd ei lestr a wyddai am bob modfedd o'r arfordir a heb ymdroi, gwahoddwyd Tomi i gymryd y llyw.

Gwyddai yn reddfol eu bod yn bur agos i glogwyni Trefor wrth lithro'n ofalus tua'r de a phrofwyd hynny mewn modd pendant iawn pan gododd y niwl. Ar y bowsprit, dyna lle'r oedd clamp o faharen wedi ei bachu'n daclus gerfydd ei chyrn.

Wedi croesi Môr Iwerydd a glanio, nid oedd y pryd hynny ond un bwthyn bach to gwellt yn Efrog Newydd lle bu'n rhaid i'r teithwyr dreulio'r noson. Deffrodd Tomi'n gynnar, agorodd y drws a dyna lle'r oedd llew anferthol yn cysgu'n dawel ar y mat.

★ ★ ★

Cymeriad o sir Fôn yn hwylio i 'Merica un tro. Mi gododd y gwynt, ac fe ddaeth yn gorwynt mawr. Bu'r llong yn hwylio ar yr un don am bythefnos.

Gwledydd Pell

'Merica fel arfer yw'r 'wlad bell' yn y straeon. Daw llawer o'r straeon o'r cyfnod ar ddechrau'r ganrif pan oedd nifer o Gymry'n ymfudo i'r Unol Daleithiau i chwilio am waith a gwell bywyd. Fe âi nifer yno i weithio am gyfnod gweddol fyr, gan ddod yn ôl wedyn i'r hen ardal. Mae'n hawdd gweld sut y tyfodd straeon am 'Merica — y wlad lle'r oedd pob dim yn anarferol o fawr. Roedd gan y storïwr rwydd hynt i weu ei chwedl, ni ellid gwrthbrofi ei honiadau yn hawdd, ond gan fod y stori yn gelwydd golau pur fel arfer, fedrai'r gynulleidfa oedd heb adael yr ardal ddim coelio'r stori. Heddiw, mae'n debyg y byddai'n rhaid mynd i'r lleuad neu i blaned arall er mwyn ceisio creu yr un math o chwedl!

Fe all brolio maintioli pethau yn y 'Merica greu adwaith hefyd. Cofiaf fy nhad yn adrodd stori am ddau bartnar yn gweithio yn chwarel Rhiwfachno, Cwm Penmachno. Un ohonynt, yn ôl y stori, oedd Robin Joli, gŵr enwog ei straeon (ond nid straeon celwydd golau) yn ardal Ffestiniog. Roedd ei bartner wedi treulio rhyw gymaint o amser yn y 'Merica ac yn manteisio ar bob cyfle i frolio maint pob dim a oedd yn y wlad honno.

"Ydi o'n ddim byd tebyg i 'Merica, fachgan."

Blinodd Robin ar hyn, ac yn dilyn rhyw froliant arbennig, dyma fo'n yn troi arno'n sydyn:

"Gwranda'r diawl, pan o'n i'n gweithio yn Cwt Bugail roedd 'na chwain yno oedd yn ddigon mawr i ddeud 'chi' wrthyn nhw!"

* * *

Cefais lawer o hanesion Gladston Ifans gan Tecwyn Lloyd. Pan oedd yn y 'Merica, bu Gladston yn syrfewr tir a phensaer. Ar y pryd, yr oedd llawer o'r fforestydd ansathredig yn bod o hyd ac yr oedd un yn Ne Dacota na wyddai neb ei maint. Roedd hefyd yn lle digon peryglus oherwydd yr anifeiliaid gwylltion oedd yno, yn enwedig y *pumas*. Bu ambell syrfewr yn ceisio mesur y goedwig, ond ddaeth dim un ohonynt yn ôl; aethant i roi graen ar y *pumas*.

O'r diwedd cynigiodd Gladston wneud y gwaith — am dâl mawr

iawn, wrth gwrs. Gyda hogyn i'w gynorthwyo, daeth at gwr y fforest.

"Mi welais yn syth," meddai, "lle'r oedd pawb arall wedi methu. Roedd y coed mor drwchus a thal fel mai'r peth cyntaf a wnaethom oedd dringo'r goeden gyntaf y daethom ati a mynd wedyn o goeden i goeden. Ddaethom ni ddim i lawr am fis!" Odanynt, meddai, roedd y *pumas* yn newynu amdanynt ond i ddim pwrpas. Talwyd miloedd o ddoleri i Gladston am ei waith gan y llywodraeth.

★ ★ ★

Roedd gŵr o Lŷn wedi mynd i 'Merica a Ianc yn y fan honno yn brolio maint eu llongau. "Mae un o'n llongau ni mor fawr, mae'r capten yn cael car i fynd o'i chwmpas i weld y criw."

"Hy!" meddai'r Cymro, "dydi hynna'n ddim. Pan mae'r cwc ar fy llong i'n gwneud lobsgows, mae o'n cael menthyg sybmarîn i weld os ydi'r tatws yn barod!"

Bu Gladston yn y 'Merica deirgwaith ond byr fu ei ail ymweliad. Daeth adre a golwg go dlodaidd arno. Yn ôl a ddywedai ei dad, roedd wedi gorfod ffoi o'r wlad a gwisgo'n dlodaidd o fwriad rhag i'r awdurdodau ei adnabod. A'r rheswm? Wel, roedd yr Americanwyr am ei wneud yn Arlywydd a fynnai yntau mo'r job!

* * *

Dro arall, bu Gladston yn cynllunio adeiladau anferth harbwr Montreal. Ef ei hun a wnaeth yr holl *blueprints* a bu wrthi am y rhan orau o flwyddyn. Roedd yn waith manwl iawn; ymhlith pethau eraill, roedd wedi nodi y byddai'n rhaid cael pedair miliwn o hoelion wyth modfedd. Bu'r contractwyr wrthi hi'n codi'r harbwr am un mlynedd ar bymtheg.

"A wyddoch chi," meddai Gladston, "ar y diwedd, doedd ganddyn nhw ddim ond tair hoelen wyth modfedd yn sbâr!"

* * *

Pan oedd yn ffermio, darganfu Gladston fod ei warteg — gannoedd ohonynt — yn hoff iawn o ryw laswelltyn a dyfai'n wyllt ar gyrion ei fferm. Penderfynodd ei ynysu a'i ddatblygu, ac ymhen tair blynedd roedd ganddo gnwd da ohono. Roedd yn well porthiant i gatal na dim a welwyd erioed o'r blaen; byddai tusw llond dwrn yn ddigon i fuwch neu fustach am dridiau. Enillodd Gladston fedal am ei ddarganfod yn Ffair y Byd Chicago yn 1894.

* * *

Roedd Wil yn aredig ar fferm fawr yn y 'Merica ac yn digwydd gweithio mewn cae oedd ymhell oddi wrth y tŷ fferm. Toc, dyna'r forwyn yn galw arno i nôl bwyd. Roedd Wil wedi ei chlywed, ond daliai'r forwyn i weiddi o hyd. Dyma Wil yn gwylltio a chodi'r arad a'r ceffylau a'u chwifio yn yr awyr.

* * *

Cymeriad o Ddyffryn Conwy yn adrodd ei hanes yn gweithio ar fferm yn y 'Merica:

"Roedd y cae mor fawr," meddai, "nes y byddwn yn cychwyn torri gwair gydag injan a phedwar o geffylau, ac wedi imi gyrraedd cornel y cae, roedd pedwar o geffylau eraill yn fy aros. Newid y ceffylau a'u newid hwy eto ym mhob cornel o'r cae. Ie, cae go fawr oedd hwnnw."

* * *

Clywyd cymeriad arall yn sôn am y rhew a gafodd yn y 'Merica. Adroddai ei hanes yn sefyll ar un o'r strydoedd yn Efrog Newydd pan basiodd y band. Gwelai'r dynion yn chwythu gymaint ag y medrent i'w cyrn ond nid oedd swn yn dod allan ohonynt o gwbwl gan fod y nodau wedi rhewi.

Safai yn yr un fan yn union yr haf dilynol a'r gwres yn llethol. Clywai fiwsig band a dim creadur ar y ffordd. Cofiodd am y band yn pasio yn y gaeaf — nodau y band hwnnw oedd yn dadmer!

* * *

Aeth ffarmwr o 'Merica allan i aredig cae mawr un dydd. Roedd ei wraig yn disgwyl eu plentyn cyntaf pan adawodd y tŷ.

Agorodd un gŵys i ben draw y cae mawr, mawr 'ma ac yna trodd yr arad yn ôl i gyfeiriad y tŷ.

Pan oedd hannar ffordd yn ôl daeth ei fab teirmlwydd oed a'i becyn cinio iddo fo.

* * *

Mae'r daith drên o Perth i Alice Springs yn Awstralia yn hir iawn, ond rwyf yn amau a yw cyhyd â'r hyn a awgryma'r stori hon:

Yng nghanol yr anialwch, heb fod ymhell o Alice Springs dyma'r trên yn stopio i gael dŵr a dyma ryw ferch ifanc, feichiog yn gofyn i'r giard alw doctor am ei bod ar fin rhoi genedigaeth i'w phlentyn unrhyw funud.

"Ddyliai dynes yn eich cyflwr chi ddim bod ar y trên hwn yn y lle cyntaf, ac yn sicr ddyliech chi ddim fod wedi cychwyn y daith," meddai'n swta.

"Doeddwn i ddim yn disgwyl babi pan gychwynnodd y trên o Perth," oedd yr ateb.

★ ★ ★

Cymeriad yn dweud ei hanes yn yr Aifft adeg y rhyfel:

"Roeddwn i'n helpu i roi *operation* ar King Farouq ac roedd yn rhaid i ni newid ei waed o. Yn wir i chi, mae'n boeth iawn yn yr Aifft yn ystod y dydd ond mae'n felltigedig o oer yno yn ystod y nos. Roedd hi mor oer yno, fel y bu'n rhaid berwi'r gwaed cyn ei roi o i'r brenin rhag ofn iddo rewi wrth fynd i fewn i'r corff."

★ ★ ★

Dywedai Gladston Ifans ei fod wedi ffensio pum milltir o ffordd fawr a redai drwy dir ei fferm yn 'Merica, yn wir golygai hyn ddeng milltir o ffens weiren ddwbl gan fod yn rhaid ffensio bob ochr i'r ffordd.

"Mi ddechreues i arni bedwar o'r gloch un bore," meddai, "ac ro'n i wedi gorffen yn fuan ar ôl te a phob weiren yn canu fel telyn."

★ ★ ★

Roedd hen gymeriad o Garndolbenmaen wedi bod yng Nghanada a phan oedd rhai o'r gweision fferm adref yn canmol pa mor dda oedd y beindars newydd oedd wedi dod i un neu ddwy o ffermydd yr ardal,

"O, 'di hynna ddim byd, fechgyn," medda fo, "mae hynna'n perthyn i'r oes o'r blaen, fechgyn. Dwi'n cofio wê owt West o'dd rheina yno amser o'dd y Romans yno. O'n i'n digwydd gweithio ar ffarm wê owt West a mi o'dd y mashin yma'n mynd i'r cae, ac mi o'dd o'n torri ŷd, fechgyn. Mi o'dd o'n 'i ddyrnu fo. Mi o'dd o'n 'i falu o'n flawd ceirch, ac yn ei grasu fo. A'r cwbwl fyddach chi'n ei weld ar ôl i'r peiriant fynd trwy'r ŷd o'dd pacedi o fara ceirch wedi eu gneud yn barod i'r siop."

★ ★ ★

Adroddodd Robat Jôs ei hanes yn croesi'r Iwcon yn Alaska. Roedd o'n mynd i fyny rhyw afon yn yr Iwcon a methu'n glir â chael lle i groesi, gan ei bod yn rhy lydan ac yn rhy ddyfn.

"Ac o'dd 'na lot o samons yn yr afon 'ma. A rhei'n mynd i fyny a rhei'n mynd i lawr, fechgyn. Dal i fynd a dal i fynd a disgwl gweld pont 'de. A dyna ni i le lle'r o'dd yr afon wedi dŵad yn gulach 'te, ac mi o'dd hi'n hawdd croesi yno. O'dd samons yn dŵad i fyny, a samons yn dod i lawr wedi blocio nes oddan nhw'n un màs, a dyma ni'n cerddad drostyn nhw, dros gefnau'r samons i'r ochor arall, tua hannar milltir o ffordd.

"Pan ddois i'n ôl drannoeth 'te, yn y lle yma, mi o'dd 'na ffatri fawr yno wrthi'n dal samons ag yn 'u rhoi nhw mewn tunia. A mi ddois i â tun ne ddau ohonon nhw efo mi."

★ ★ ★

Aeth cymeriad i Awstralia i chwilio am waith. Ond fedrai o yn ei fyw gael gwaith, yn Sydney nag yn unman. Yn y diwedd, dywedwyd wrtho am fynd i'r wlad, fod yna bla o gwningod yno yn difetha bob tyfiant a phob dim. Aeth draw i ryw fferm i gychwyn difa'r cwningod.

Roedd yno gae mawr, tua hanner can acer o gae. Ar ganol y cae yr oedd enbyd o faen mawr. Ffeindiodd Wil mai o dan y maen hwnnw roedd y cwningod yn llechu. Aeth at y ffermwr a gofyn iddo am fenthyg trol a cheffyl. Aeth wedyn i Sydney i nôl ei llond hi o bupur. Dyma fo yn ôl gyda'r llwyth pupur a'i roi o gwmpas y maen. Fel oedd y cwningod yn dod allan, roeddynt yn mynd i'r pupur, gan ddechrau tisian yn ofnadwy nes taro eu pennau yn erbyn y maen a disgyn yn farw. Roedd Wil yn eu cribinio nhw ac yn cario tair llond trol ohonynt bob dydd i farchnad Sydney. Fe ddaeth oddi yno yn filionêr cyn pen hanner blwyddyn.

* * *

Roedd Morris Evans yn hen gymeriad diniwed, difalais, gonest, yn selog yn yr Ysgol Sul. Arferai ddweud fod William ei fab wedi bod ym mhen draw'r byd, a'i gefn ar y palis, neu y clawdd oedd yn gwarchod pobl rhag syrthio drosodd. Yr oedd yn meddwl bob amser fod Rhyd-ddu yn sefyll yn rhywle tua chanol y byd, ac mai Rhyd-ddu oedd y 'standing-point'.

* * *

Roedd ffermwr o 'Stiniog yn canmol ei datws wrth ryw gymeriad:
"Yli datws nobl," meddai.
"Dydi rheina'n ddim byd i datws Newfoundland," meddai'r cymeriad. "Roeddan nhw'n iwsio dau geffyl gwedd i dynnu'r rheini allan o'r pridd."

Ffermio

Fe fu maint anifail neu lysieuyn yn destun balchder erioed am wn i. Mae'r ffermwr yn hoff o frolio maint ei ddefaid, neu faint o lefrith y mae'r gwartheg yn ei roi wrth eu godro. Peth naturiol felly yw canfod llawer o ddeunydd ar gyfer straeon celwydd golau ynglŷn â maint anifail neu lysieuyn. Mae'n siŵr bod rhai o'r straeon canlynol yn gyfarwydd i nifer ohonoch.

Trigai Jac Dafis yn y Giarat, Penmachno, tyddyn bychan a ffermid yn rhannol â gwaith arall, fel gweithio yn y chwarel. Ond roedd y tyddyn bychan di-nod hwn wedi esgor ar anifeiliaid a phlanhigion anghyffredin iawn. Mae gen i gof plentyn ohono a chodi ofn arnaf y byddai o hyd — er ei fod yn ddyn digon diniwed, mae'n siŵr. Dyma sut yr adroddai rai o'i straeon i'w gynulleidfa:-

"Mae 'na sgwarnogod yn y Giarat acw, ac maen nhw'n anferth. Maen nhw mor fawr nes eu bod nhw'n methu mynd drwy'r tyllau defaid yn y cloddiau; maent yn crafu eu cefnau wrth geisio mynd trwyddynt."

"Roedd gan Jemeima, y fuwch acw, bwrs mor fawr nes y bu'n rhaid rhoi dau ffiffti sics [dau haearn o bwysau 56 pwys] o gwmpas ei gwddw i'w dal i lawr."

"Mi oedd 'na andros o gnwd o wair acw 'leni. Roedd y fuwch wedi dianc i'r cae ac mi fu'n rhaid imi dorri gwana pladur i'w chael hi oddi yno."

★ ★ ★

Cymeriad arall yn dweud ei hanes pan oedd yn was fferm:

"Pan o'n i'n was yn y Fedw Arian (sydd gerllaw'r Bala) mi oedd 'na gnwd o ŷd eithriadol un flwyddyn. Bu'n rhaid tynnu'r giât oddi ar ei chatia a bacio'r drol i ddechrau llwytho'r sgubau wrth fynd i mewn i'r cae." [Wrth gwrs, doedd dim sôn am fynd â'r beindar i mewn yn gyntaf er mwyn torri'r ŷd!]

★ ★ ★

Cymeriad arall o Benmachno oedd yn adrodd y stori hon, er nad wyf yn credu mai ei hawlfraint ef sydd arni chwaith:

"Roedd 'na gnwd tew iawn o wair y flwyddyn honno a ninnau'n trio gorffen cario cyn i'r tywydd dorri. I ddrysu pethau'n waeth, roedd y gaseg yn cario cyw a'i hamod i fod unrhyw ddiwrnod.

"Wel i chi, pan oeddan yn mynd i'r cae i nôl y llwyth olaf, dyma'r gaseg yn rhoi genedigaeth i'r cyw. Mi oedd hi'n dechrau pigo bwrw a doedd dim amdani ond taflu'r cyw i'r drol a llwytho'r gwair. Aeth gweddill y gwair i gyd i'r llwyth a chan fod yr helm yn llawn, fe adawyd y llwyth ar y drol.

"Rywbryd tua dechrau Ionawr, mi es i'r das ar y drol i nôl gwair. Torrais fymryn o'r gwair gyda'r gyllell a dyma fi'n gweld twll anferth gyda rhywbeth yn symud yno. A wir i chi, roedd 'na glamp o geffyl nobl y tu fewn i'r das, a hwnnw wedi bwyta'r gwair i gyd ond am y tu allan!"

*   *   *

Mae cymeriad yn ffermio yn ardal Capel Curig ac yn ogystal â thrin y tir, mae'n cadw maes pebyll a charafanau. Gofynnodd rhywun iddo sut oedd hi arno fo. Atebodd yntau fod yna gymaint yn campio yn y cae nes y bu'n rhaid iddo fynd i nôl y ferfa er mwyn mynd o gwmpas y maes i gasglu pres, "ac mi llenwais hi hefyd!"

Yr un ffermwr eto yn sôn am ei wartheg. Roedd hi'n aeaf caled iawn a dyma fo'n dweud fod ganddo un fuwch oedd mor denau nes y gellid ei gweld hi'n newid ei meddwl!

*   *   *

Rhoddodd cymeriad o ardal arall goes osod i'w fuwch, coes wedi'i gwneud o bren afalau, ac ymhen y flwyddyn, coeliwch neu beidio, wele ddail ac afalau braf yn tyfu ar y goes!

*   *   *

Roedd Wil yn honni iddo fo fynd un tro i gyflogi i'r Ffair Bentymor ym Mhwllheli — cerddded bryd hynny — ond pan oedd o newydd fynd heibio i Afon-wen, daeth tarw'r Llymgwyn i'r lôn a'i fygwth. Doedd dim amdani wedyn ond dringo'r polyn teligraff agosa ato fo — a dyna wnaeth o; ac yn y fan honno y bu am hir iawn a'r tarw yn peuo oddi tano fo wrth fôn y polyn.

"Ches'ti mo'r ffair, felly?" meddai rhywun.

"O do," meddai Wil, "mi gerddis i yno bob cam ar hyd y weiars!"

* * *

Roedd 'na darw oedd yn rhedeg o gwmpas y das wair mor sydyn nes ei fod o'n cachu yn ei wyneb ei hun!

* * *

Roedd gan un ffermwr gymaint o ŵyn stôrs ar ei gaeau nes ei fod yn gorfod deud wrth yrrwr y lori oedd yn danfon llwyth arall o ŵyn iddo am frysio i ddadlwytho neu fe gâi andros o job i gau'r giatiau.

* * *

Roedd gan un bugail gystal comand ar ei gi, nes ei fod yn medru ei gael, a hwnnw ar ganol neidio ffens, i stopio ar weiar bigog!

* * *

Roedd gan fugail arall ast dda a honno'n dorrog. Wrth neidio dros ffens ar ôl dafad, fe rwygodd yr ast ei bol ac fe ddaeth chwech o gŵn bach allan, a dyma'r rheiny'n rhedeg ar ôl y ddafad ac yn ei setio hi yn y fan a'r lle.

"Diawch, fachgen, gin i roedd y ceffyl noblaf yn y wlad. Ceffyl pump oed, yn llond ei groen a cheiniogau o gwaliti ar ei flew. Cofio un tro i mi roi andros o lwyth o geirch a haidd yn y drol i fynd i'r felin. Roedd y llwyth mor drwm nes torri asgwrn cefn y ceffyl, ond wnes i ddim cynhyrfu. Mi es trosodd i goed Hafodunos a thorri reilsen go gry. Dyna fo, rhwymo un pen o dan ei gynffon a'r pen arall wrth ei war, a wir i ti, mi wnaeth y tro am flynyddoedd."

* * *

Fel y gwyddoch, mae'n rhaid i'r wyau sy'n cael eu gyrru i'r ganolfan fod yn lân ac o'r un maint.

Wel, daeth cŵyn o'r ganolfan i un gŵr nad oedd yr wyau a yrrai yn ateb y gofynion. Yn ei benbleth, dangosodd y papur gyda'r gŵyn arno i'r ieir, a chlywai un o'r ieir yn clochdar nad oedd hi ddim am ddodwy wyau mawr i neb rhag difetha'i ffigyr!

"Dro arall," meddai Wil, "roedd 'na glamp o stalwyn eithriadol o fawr yn y Bercin, Llanystumdwy, ac roeddan nhw'n methu'n lân â chael neb i'w ganlyn o un tymor. Wel, mi es i yn diwadd ac mi ges i dymor ardderchog — digonedd o fusnes, a faint a fynnwn i o ferchaid a chwrw, ac mi aeth sôn amdanon ni i bob man — a dyna alwad i fynd i Sir Fôn. Wel i chi, fel roddan ni'n cychwyn dros Bont y Borth, mi ddechreuodd honno siglo ac mi fu raid i mi droi'n ôl.

"Beth wnes i wedyn," meddai Wil, "ond cymryd dau gwch a rhoi traed blaen y stalwyn yn un, a'i draed ôl o yn llall, a chroesi! Mi geuson wedyn wadd i 'Werddon — ond wnes i ddim cyboli!"

* * *

"Rown i wedi prynu dau faharen — un Suffolk, a'r llall yn un Cymreig. Roedd yr un Cymreig yn hynod o smart â chlamp o bâr o gyrn yn troi at ymlaen. Wel, rown i wedi'u gadael nhw yn y cae, ac wrth edrych arnyn nhw o'r tŷ, mi fedrwn weld bod un wedi mynd i un gornel, a'r llall wedi mynd i'r gornel gyferbyn. Roedd y ddau yn wynebu'i gilydd, ac roedd hi'n amlwg nad oedd pethau'n dda iawn rhyngddyn nhw. Dyma'r Suffolk yn cychwyn rhuthro am yr un Cymreig, a bron ar yr un amrantiad, dyma'r un Cymreig, yn rhoi ei ben yntau i lawr, ei gyrn mawr ymlaen a tharanu i gyfarfod y pen du. Rown i'n gwingo — roedd y ddau yma am daro'i gilydd, a fuasai 'na fawr o olwg ar yr un ohonyn nhw wedi ffasiwn glec. Ond ar y funud olaf, dyma'r Suffolk yn aros yn stond, ac yn ochrgamu'n sionc. Welodd yr un Cymreig ddim byd, 'mond plannu heibio iddo fo ac ar ei ben i'r ddaear nes bod y cyrn mawr rheiny i gyd o'r golwg yn y pridd — a WIR DDUW ichi rŵan, mi fues i am wythnos gyfan yn tynnu'i gyrn o'n rhydd o'r ddaear efo caib a rhaw."

* * *

Roedd hen gymeriad o Sir Aberteifi wedi gwneud bwgan brain mor effeithiol nes bod y brain nid yn unig yn gadael llonydd i'r ŷd, ond hefyd yn dychwelyd yr hyn yr oeddynt wedi'i ddwyn y flwyddyn gynt!

Euthum i'r pentre ryw noson tua chanol Mehefin — ni fedraf roi amcan agosach, ond p'un bynnag yr oedd yn gynnar iawn i neb fod wedi cael tatws newydd y flwyddyn honno. Yno ar y bar yr oedd taten wen fendigedig, pum modfedd o hyd o leiaf, a gofynnais i Beryl o ble y daethai. "O, gofynnwch i Jones," meddai. Ac fe wnes. "Jones achan, beth yw hanes y daten enfawr 'na?" Ac wedi iddo ei osod ei hun yn ei ystum ystorïol arferol meddai wrthyf: "Wel, rwy'n arfer dod ag ambell bwn o dato i lawr i Beryl 'ma, ond rown i braidd yn hwyr 'leni, ac roedd twll yng ngwaelod y sach a finne heb 'i weld e, ac fe gwmpodd honna mas!"

* * *

Roedd Samuel Davies, Llansannan, wedi colli tair o ddefaid gorau'r byd, ac yn ddigon naturiol roedd o wedi prynu un o ysbienddrychion gorau'r byd i geisio darganfod y defaid colledig yma. Yn fwy naturiol fyth roedd o hefyd yn berchen ar gi defaid gorau'r byd. Sut bynnag i chi, aeth i ben boncen ger ei gartref ar Fynydd Hiraethog ac edrych drwy'r ysbienddrych i gyfeiriad mynyddoedd Sir Gaernarfon. A wir, ymhen chwibaniad chwannen, beth welodd o ond ei dair dafad yn pori'n hamddenol braf ar y graig uchaf un ar fynyddoedd Sir Gaernarfon — yn union ar ben yr Wyddfa. "Ac roedd fy sbing-glas yn un mor rhagorol fe allwn weld yn blaen fy marc coch ar wlân y tair dafad, sef y llythrennau 'S.D.', ac yn well fyth, gallwn adnabod yn glir fel haul ganol dydd eu nod clust. Ac ebra fi wrth Mot y ci:

" 'Tyrd yma, ngwas i, imi gael dal y sbing-glas yma o flaen dy lygaid dithe!' Ac fel ergyd o wn dyna Mot y ci yn mynd nerth ei goesau chwim, fel gwennol, i gyfeiriad yr Wyddfa fawr. A chyn wired â 'mod i'n eistedd yn y fan yma, dyma'r hen gi yn cyrchu'r tair dafad yn ôl imi cyn i'r haul fachludo dros Hafod Elwy y noson honno! Ac ebra fi wrth Mot: 'Ti ydy'r ci gore nid yn unig yng Nghymru ond trwy'r byd mawr crwn!' "

* * *

45

Roedd Mali, rhyw hen ferch, â meddwl y byd o'i deuddeg giâr a gadwai ar ei thyddyn yng Ngharreg y Frân. Ond roedd Carlo, ei chi, wedi dechrau ymosod ar yr ieir a'u lladd, ac yn waeth fyth, roedd o wedi lladd defaid oedd yn perthyn i'w chymdogion. Gofynnodd i Samuel Davies, ei chymydog, a wnâi o i ffwrdd â'r hen gi.

Aeth Sam Dafis â'r ci adre gydag o wrth tsiaen gref, yna wedi dadfachu'r goler a'r tsiaen, cododd y ci yn ddigon diseremoni a'i daflu ar ei ben i'r gasgen oedd yn llawn o ddŵr bargod o dan landar y tŷ. Rhoddodd gaead y fuddai gorddi ar ben y gasgen a chlamp o garreg o'r graig gyfagos ar ben caead y fuddai rhag i'r ci geisio dengid.

Y bore canlynol aeth i wneud twll mawr yn y cae dan tŷ i gladdu Carlo'r ci. Ac yntau yn chwys diferol, symudodd y garreg anferth oddi ar gaead y fuddai a beth welodd o, er ei fawr syndod, ond yr hen gi wedi yfed pob diferyn o'r dŵr, a dyna ble'r oedd o'n ysgwyd ei gynffon yn braf yng ngwaelod y gasgen ddŵr bargod!

* * *

Roedd nhad yn dweud ei hanes yn cael trafferth gyda thwrch daear ryw dro (yn ystod y rhyfel rwy'n credu). Codai'r twrch yn yr ardd gan ddifetha'r gwair. Cafodd fy nhad fenthyg trap gan gymydog gyda chyngor iddo faeddu ei ddwylo yn y domen dail cyn ei osod, gan fod tyrchod yn gallu synhwyro olion dwylo. Fe wnaeth fy nhad hynny, ac fe ddaliodd y twrch yn y trap. Yn wir fe ddaliodd dwrch bob dydd am dridiau.

Y bore Sadwrn canlynol yr oedd fy nhad yn sefyll ar y bont ym Mhenmachno yn sgwrsio â chriw o ddynion y pentref. Dyma'i frawd-yng-nghyfraith yn dweud wrtho:

"Wyt ti wedi dal tyrchod, yn do?"

"Do, dim ond tri," atebodd fy nhad.

Ar amrantiad, dyma un arall o'r criw, un enwog am ei straeon yn dweud:

"Duw, 'di hynna'n ddim byd. Dwi'n cofio pan o'n i'n was yn Gymanog ers talwm. Roeddwn i'n chwalu tail gyda fforch un pnawn Sadwrn pan glywais i ryw sŵn rhyfedd iawn y tu ôl imi. Mi drois rownd, a wsti beth oedd yno? Cannoedd o dyrchod daear yn cerdded i fyny'r cae tuag ataf. Mi es i'w canol nhw efo'r fforch a lladd ugeiniau ohonyn nhw cyn i'r lleill redeg i ffwrdd."

Yn ôl yr hyn a glywodd fy nhad, wedyn, roedd hon yn stori enwog iawn yn y chwarel ar un adeg, felly roedd cael rhywun newydd i'w chychwyn yn dderbyniol iawn!

* * *

Chris Shepherd o Benrhyndeudraeth yn byw mewn tyddyn bach. Un diwrnod mi gollodd fuwch ac ar ôl chwilio am hir fe gafodd hyd iddi o dan ddail riwbob enfawr oedd yn tyfu yn yr ardd.

Bu hefyd yn cadw *market garden* ac yn tyfu blodfresych. Un tro, awgrymodd y wraig y dylai gystadlu mewn sioe arddio leol. Fe wnaeth hynny, ond bu'n rhaid iddo dorri'r blodfresych yn eu hanner i'w cael i mewn i'r bws er mwyn eu cario i'r sioe!

* * *

Hen gymeriad yn dweud ei hanes yn was ar ryw fferm fawr yn Sir Fôn.

"Ac oedd 'na fwr mawr, hir a lot o ddynion yn gweithio yno, 'te, ac o'dd 'na rêl ar hyd y bwr a rwbath fath â desgil fawr a lwynion dani hi a mul bach yn tynnu'r uwd, 'te, yn y ddesgil 'ma ar hyd y bwr yn ara deg. Wedyn, o'dd y dynion yn codi uwd ar 'u platia ne'u bowlan fel o'dd y mul yn mynd yn ara deg. A felly fyddan nhw'n ca'l swpar — y mul 'ma'n tynnu'r bowlan. O'dd y bwr mor hir, 'de, a criw mor fawr yno'n 'te."

* * *

William Jones (Fachwen) yn dweud hanes y ci defaid oedd ganddo:

"Mae 'na ffarm yn ymyl Benllyn, Llwyncoed yn'te. A defaid yn tyfu — wyddoch chi lle ma' pen tynal yn fanna. Ac ro'dd y ffarmwr wedi bod wrthi drwy pnawn Sadwrn, ac o'dd o'n gwbod fod ganddo fo ddwy ddafad yn ganol y defaid.

" 'Dwi 'di hel nhw i lawr ddega o weithia i'r lôn bôsd 'ma, a dwi 'di ffagio,' medda fo.

" 'Gwatia am funud,' meddwn i, a'r ci wrth fy ochor. 'Ŵan, dos i nôl y defaid cw, a tyd â dwy o'no, dwy ddafad sy'n perthyn i'r ffarmwr yma.'

"Dyma'r ci i fyny a rownd y defaid a dyma fo'n dod â dwy ddafad i lawr, trw'r lle, cofiwch, ac i lawr i'r lôn bôst. A'r ddwy ddafad heini oeddan nhw."

* * *

Byddai'n arferiad ers talwm yn Llŷn i fynd i lawr i'r traeth i hel gwymon fel gwrtaith i'r tir. Hynny fel arfer yn cael ei wneud yn ystod y gaeaf.

Un tro roedd hen fachgen wedi mynd i lawr i'r traeth ar ôl storm ac yn dod â'r llwyth yn ôl. Gan fod clip go serth o'r traeth i fyny, a'r ceffyl wedi mynd i oed, ac yntau'n ddyn go gryf, aeth allan i wthio â'i ysgwydd. Cyn hir roeddynt ar ben y clip ac arhosodd gan weiddi 'We!' Arhosodd y drol. Aeth ymlaen at y ceffyl i'w fwytho o weld mor dda yr oedd wedi tynnu'r llwyth. O fynd ato gwelodd ei fod wedi marw a hen oeri — roedd wedi gwthio'r drol, y gwymon a'r ceffyl i fyny'r clip!

* * *

Roedd yna ffermwr wedi colli esgid, ac ar yr un pryd roedd ganddo fuwch yn sâl. Gyrrwyd am Ifan Ifans, oedd yn dipyn o ffariar gwlad. Ac wedi cyrraedd y fferm, dyma Ifan Ifans yn mynd ati i edrych ar y fuwch:

"Mi dynnis fy nghrysbas, a mi dorchis llawas fy nghrys gin bellad â medrwn i, a dyma fi'n gwthio fy mraich i lawr gwddw'r fuwch. Ac mi glywn i, mi ffeindis i fod y fuwch wedi llyncu'r esgid, a fedrwn i ddim ca'l gafal ynddi. A dyma fi'n gofyn am saim gŵydd."

Dyma Ifan Ifans yn tynnu oddi ar ei droed, torchi coes ei drowsus a'i drôns cyn uched ag y gallai, ac wedyn gwthio ei droed i lawr gwddw'r fuwch nes oedd ei droed o'n ffitio i mewn i'r esgid. Ac felly y cafodd o hi allan ac roedd y fuwch yn codi ac yn mynd yn iawn wedyn.

★ ★ ★

Roedd y cymeriad o Nantlle oedd yn berchennog ar gi hyll yn dweud hanesyn un tro. Pwysai ar ddrws y stabal a dyma'r ci i ffwrdd a dechrau hel y defaid, gan weithio'n ardderchog a'u trafod fel petai yno ddyn yn ei helpu. Ac fe glywodd sŵn chwibanu. A beth oedd yno ond nico ar goeden, a hwnnw oedd yn comandio'r ci!

★ ★ ★

Ffermwr yn dweud ei hanes yn rhoi tarpolin dros das wair hefo criw yn ei helpu — pawb yn gafael mewn rhaff. "Dyma wynt mawr yn gafael yn y tarpolin fel parasiwt a'u codi i gyd i fyny i'r awyr. Mi fuon ni'n fflio dros Ben Llŷn am bwl nes i ni ddechra landio. Mi sbiais i lawr a dyna lle'r oedd y das wair o danan ni. Wyddost ti lle landion ni?"

"Ar y das wair?"

"Naci, reit wrth ei hochor hi, fachgan!"

"Oeddach chi'n poeni?"

"Wel, oeddwn 'sti!"

"Pam felly?"

"Wel, hen afael bach oedd gan Dic!"

Pysgota

Yr ydym i gyd yn gyfarwydd â straeon am y pysgodyn mawr hwnnw a aeth o afael bachyn y pysgotwr — a hwnnw oedd yr un mwyaf, bob tro. Mae brolio maint yr un a gollwyd yn arferiad cyffredin iawn ymysg pysgotwyr, ac nid yw'n rhyfedd felly gweld straeon yn tyfu o gwmpas digwyddiad fel hwn. Tyfodd ambell frithyll neu euog yn lletach na'r afon yn aml iawn yn y straeon hyn.

* * *

Ymfalchïai William Jones (Fachwen, eto) yn ei allu fel pysgotwr, yn enwedig gan mai plu wedi eu cawio ganddo ef ei hun a ddefnyddiai. Pan fyddai allan gyda'r nos, neu yng Nghaernarfon ar y Sadwrn, gwisgai het a honno wedi ei haddurno â phlu amryliw — Coch y Bonddu, Petrisen Corff Gwin, ac amryw eraill. Mi fu bron iddo â cholli'r het unwaith medda fo — "Roeddwn i newydd ddechra pysgota ar lan y llyn pan ddaeth 'na bwff reit sydyn o wynt a'i chwythu i'r dŵr. Roedd hi'n rhy bell i mi fedru'i chyrraedd hi, felly mi es i'r coed i dorri ffon hir. Mi fedrais gyrraedd yr het, a phan godais i hi o'r dŵr roedd 'na ddau frithyll hanner pwys yn sownd wrthi hi!"

* * *

Sgotwr yn brolio ei fod o wedi dal clamp o bysgodyn, y mwyaf a welwyd yn yr afon erioed — roedd ei lun yn unig yn pwyso tri phwys!

* * *

Pan oedd Wil yn hwsmon yn Ystumcegid, sylwodd fod 'na glamp o samon yn Llyn Gwragedd yn afon Dwyfor. Mi soniodd am hynny wrth y mistar gan obeithio cael mynd yno i'w ddal o, ond doedd dim yn tycio.

"Wel i chi," medda Wil, "mi a'th mistar i'r dre yn y pnawn, a dyma fi'n deud wrth un o'r gweision am fynd i nôl y dryfar a'i rhoi hi ar y maen, a dŵad â rhaff efo fo; ac mi nath, a ffwrdd â ni am Lyn Gwragedd, a sticio'r samon, ac er 'mod i'n bymtheg stôn o ddyn, mi arhosis gamfa led ar 'i gefn o felly cyn belled â phont Llanystumdwy a'r afon yn goch gan waed!"

★ ★ ★

Roedd Jac yn pysgota yn agos at y Clwb Golff. Gwelodd frithyll yn codi o'i flaen at y bluen ac yn cydio ynddi; ond gwyddai nad oedd y pysgodyn wedi llyncu'r bach, ac mai'i unig obaith o'i ddal oedd ei chwipio'n sydyn o'r dŵr.

Gwnaeth hynny. Daeth y brithyll yn rhydd a hwylio dros ei ben i'r maes golff y tu ôl iddo. Dringodd yntau dros y wal, ac roedd yn chwilio'r glaswellt am y brithyll pan ddaeth pedwar golffiwr heibio.

Syllodd y pedwar mewn rhyfeddod arno, oherwydd gwyddent oddi wrth ei fasged a'i esgidiau mai pysgotwr oedd.

"Beth ar y cread," ebe un ohonynt, "ydach chi'n 'i wneud fan hyn?"

"Pysgota," ebe Jac.

"Pysgota? Ddyn bach, yn yr afon y mae'r pysgod."

"Nage," ebe Jac. "Yr adeg yma o'r flwyddyn, maen nhw'n dod allan o'r dŵr, ac yn bwyta'r ceiliogod rhedyn."

Gwelodd y brithyll coll yn neidio mewn tusw o welltglas yn ymyl.

"A! Dyma chi un ohonyn nhw!"

Gafaelodd yn y pysgodyn a'i roddi yn y fasged. Yna rhoes ei fasged i lawr ac aeth ymlaen i chwilio'r glaswellt.

Dyma'r pedwar golffiwr hefyd yn rhoddi eu bagiau hwythau i lawr, ac yn dechrau chwilio. Yr oeddynt yn dal i chwilio pan adawodd Jac hwynt.

★ ★ ★

Cymeriad arbennig iawn o blith pysgotwyr Chwarel Dinorwig oedd William Jones, neu Wil Jôs y Gof, fel y'i gelwid. Roedd ei gartref ar fin Llyn Padarn ar ochr y Fachwen. Ar wahân i fod yn 'sgotwr mawr' roedd gan William Jones dalent fawr arall, sef y dalent i ddweud celwyddau i'w ddiddori ei hun a'i wrandawyr. Byddai wrth ei fodd yn pentyrru celwyddau wrth rybelwyr cegagored, ac nid bob amser y gwyddai ei gyfeillion agosaf pa bryd i'w goelio gan mor ddifrifol yr edrychai ac y swniai wrth adrodd ei stori. Dyma, yn ei eiriau ef ei hun, sut y daliodd William Jones y pysgodyn mwyaf a fu yn Llyn Padarn erioed:-

"Mi wyddwn i amdano fo ers tro, achos 'r o'n i wedi'i sbotio fo'n corddi'r dŵr ym Mhenllyn — a chynffon fel prinsan gyno fo. Wel, un bora Sadwrn cyfri 'r o'n i'n barod amdano fo, ac wedi prynu gêr newydd sbon yn sbesial ar 'i gyfer o. Allan â fi'n y cwch, ac wedi bod wrthi am sbel, dyma 'na gythraul o blwc nes o'dd y cwch yn siglo. "Aros di'r diawl!" medda finna, a rhoi digon o lein iddo fo. Toc, dyma'r lein i ben, a fedrwn i neud dim wedyn ond dal 'y ngafal efo 'nwy law a phlethu 'nghoesa dan sêt y cwch. Wedi chwara o gwmpas am dipyn dyma fo'n troi ac yn dechra nofio i fyny i gyfeiriad Llanberis a 'nhynnu i a'r cwch ar 'i ôl. Pan gyrhaeddodd o dop y llyn dyma fo â thro wedyn ac i lawr gyda'r ochor arall heibio'r tŷ cw ac i fyny'n ôl i Lanberis yr ail dro. Felly buo hi — 'nôl ac ymlaen drwy'r dydd, a'r wraig yn lluchio bynsan imi bob tro wrth imi basio'r tŷ!"

Roedd sgotwr o 'Stiniog wrthi hi'n cawio plu ar gyfer mynd am sgodyn ac wedi cael hwyl anarferol ar gawio pluen Coch y Bonddu. Wedi ei hedmygu, a churo'i gefn ei hun yn ddistaw bach ei bod yn edrych yn union fel pry, rhoddodd hi ar un ochr a mynd ati hi i gawio un arall.

Teimlai ei fod wedi cael cystal hwyl bob mymryn ar hon eto, ac estynnodd i'w rhoi hi efo'r gyntaf. Ond doedd yna ddim golwg ohoni yn unman. Edrychodd o gwmpas ac ar y llawr, ond doedd dim arlliw o'r bluen.

Yna cafodd gip drwy gongl ei lygad ar ryw symudiad ym mhen ucha'r ffenestr, ac o edrych yn fanylach gwelai bryf cop yn mynd â'i bluen i fyny i lle'r oedd ei we a'i loches.

*　*　*

Aeth sgotwr arall o'r un ardal i lawr at bont Maentwrog ar afon Dwyryd i bysgota am eog. Pysgota troellwr a wnâi, ac wrth geisio taflu hwnnw ar draws yr afon, rhoddodd dafliad blêr ar y naw. Rhywfodd aeth y troellwr gyda lein hir wrtho dros y bont ac i'r afon yr ochr isaf iddi.

Rhegodd o dan ei wynt, gan daflu cewc o'i gwmpas i edrych a oedd yna rywun neu'i gilydd wedi'i weld. Diolchodd nad oedd yr un adyn yn y golwg, gan y gwyddai na chlywsai mo'i diwedd hi pe byddai rhywun yn cario'r stori i'r chwarel.

Dechreuodd dynnu'r lein i fewn ac yna teimlodd goblyn o blwc. Roedd eog wedi cymryd ei droellwr, a'r bont rhyngddynt! Daliodd i rilio'r lein i mewn a gwelodd glamp o eog yn codi o'r dŵr y tu isa i'r bont. Daeth mwy a mwy o'r lein i mewn, ac yna, beth ddaeth rownd y tro a thros y bont ond y bws chwarter wedi pump o'r Blaenau. Torrodd honno'r lein a dihangodd yr eog. A dyna sut y collwyd yr eog mwyaf a fu ar enwair erioed!

*　*　*

Cymeriad arbennig yn ardal 'Stiniog oedd gŵr a gariai'r llysenw *champion* a rhyw gyda'r nos roedd rhai o hogiau ifanc y fro wedi taro arno ac wedi mynd ati hi i'w holi.

"Ydach chi wedi arfar â sgota, William Robas?"

"Sgota! — Hogia bach, dwi wedi sgota ers pan oeddwn i'n ddim o beth — a porjio!"

"O-oo! — Porjio hefyd?"

Diddordeb mawr gan yr hogia.

"Do'n tad! Lawerodd o weithia."

"Samons?"

"Ia — samons."

"Fyddach chi'n cael hwyl ar 'u dal nhw?"

"'U dal nhw? Wel byddwn siŵr iawn!"

"Ew, fyddach?"

Yr hogia'n eiddgar am glywed chwaneg.

"Byddwn i, byddwn! 'U dal nhw'n llarpia mawrion, sacheidia ar y tro."

"Fyddach chi, hefyd?"

"O-oo byddwn! Dwi'n cofio mynd i lawr at yr afon a'r gof wedi gwneud bach mawr newydd sbon imi, ac mi roeddwn i ishio gweld oedd o'n fy siwtio i, ychi hogia . . . "

"Ia, William Robas."

"Ia siŵr, a dyma fi at yr afon ac at y pwll gora oedd ynddi. Ym mhen ucha'r pwll roedd yna dipyn o raeadr — y dŵr yn dŵad dros graig yno, ac roedd y samons yn neidio'r rhaeadr yma i fynd yn 'u blaena i fyny'r afon . . . "

"Ew, rhai mawr, William Robas?"

"Mawr, ddudis di? Oeddan, siŵr iawn! Pob un ohonyn nhw'n ormod o faich i ddyn cryf, wel'di!"

"Argian! Be naethoch chi, William Robas?"

"Be nesh i? Wel mynd i'r afon siŵr iawn nes yr oeddwn i at 'y nghorn gwddw yn y dŵr, ac at waelod y rhaeadr lle'r oedd y samons mawr yma'n neidio."

"Oedd hi'n beryg yno, William Robas?"

"Peryg! Peryg ddeudis di? — Wel oedd, siŵr iawn, yn beryg bywyd i rywun cyffredin! Ond mi roeddwn i wedi plannu fy nwy droed ar wely'r afon fel petaen nhw wedi gwreiddio yno."

"Be ddigwyddodd wedyn, William Robas?"

"Pob samon oedd yn neidio'r rhaeadr roeddwn i'n 'i fachu o ac yn 'i luchio fo i'r lan."

"Pob un?"

"Pob un, weldi! Fethish i'r un."

"Argian! Mi gawsoch chi helfa, William Robas!"

"Helfa!! Wel do, siŵr iawn. Doedd yna'r un samon ar ôl yn y pwll. Roeddan nhw i gyd ar y lan, yn bentwr cymaint â thas wair fawr!! Nos da, hogia."

★ ★ ★

"Roedd Edward Jôs Pympar o Nantlle wedi mynd i bysgota ar y llyn efo cwch. Ac ar yr adeg honno, mi fydda Alan Coban a rheina hyd y lle 'ma efo llonga awyr yn gneud rhyw dricia. Ac mi o'dd Edward Jôs newydd ddal pysgodyn reit dda. A dyma'r llong awyr 'ma'n dŵad yn isal ofnadwy. 'Ydach chi'n cal hwyl, Edward Jôs?' 'Ydw,' medda hwnnw, ac yn dal yr enwair fela, a'r pysgodyn yn hongian. 'A dyma'r cena drwg yn mynd â 'mhysgodyn i,' medda fo."

★ ★ ★

Roedd Edward Jôs wedi mynd i bysgota ryw ddiwrnod ac mi ffeindiodd nad oedd ganddo ond un bach pysgota, a hwnnw'n un bychan iawn. Ac mi aeth yr ochr isaf i Bont Bala, Baladeulyn. Taflodd y bach i'r dŵr ac mi glywodd bwysau dychrynllyd. "Ac mi dynnish yn lein yr enwar. Tynnu, a dyma sliwan anfarth o hyd," medda fo, "yn dod i'r lan, a mi llusgis hi adra."

Medda fo, "Ac o ran ciwriosuti dyma fi'n agor 'i gwddw hi, ac mi oedd 'na ddeuddag o facha samon yn 'i gwddw hi."

Hela

Mae llawer o'r cymeriadau rhyfedd hyn yn helwyr o fri, yn aml yn hela gyda milgi.

Roedd cymeriad o Bentrefoelas (ond o Benmachno'n wreiddiol), cymeriad a fu farw yn ystod y flwyddyn a aeth heibio, yn adrodd ei hanes yn saethu llwynogod.

"Roeddan nhw yn rhai cyfrwys yn yr hen goed acw ac mi fyddwn yn methu'n aml pan yn saethu atynt. Dyma fi'n gwagio rhai o'r cetris gan dynnu'r haels allan ohonyn nhw a rhoi 'tin tacs' yn eu lle.

"Dyma fi'n mynd allan i saethu un diwrnod a phan welais i lwynog, mi daniais ato. Roedd y cetris 'newydd' yn gweithio'n well o lawer, mi hoeliwyd cynffon y llwynog i'r goeden agosaf ac yno yr oedd yn hongian nes i mi ddod ato a'i ddarfod.''

* * *

Un arall efo dychymyg byw i adrodd straeon tebyg a fu farw'n ddiweddar oedd John Dobson, Tŷ Capel y Beirdd (yn Eifionydd). Un o'i straeon o oedd am y dortsh honno a fu ganddo fo'n dal cwningod. "Roedd ei golau hi mor gryf,'' medda fo, "nes y llosgodd hi dwll crwn drwy ochr y gwningen!''

* * *

Yn ei hunangofiant, mae'r prifardd Dic Jones yn sôn am hen gymeriad o'r ardal yn adrodd hanes y clawdd a'r cwningod. Y clawdd hwnnw oedd mor llawn ohonynt fel y bu'n rhaid tynnu tair neu bedair allan ohono i gael lle i'r ffuret fynd i fewn! Yn wir, gan amled yr adroddai hi y mae'n bosib fod y cymeriad yn rhyw led-synhwyro fod ei gynulleidfa yn dechrau diflasu arni, a chyda'i athrylith ef ychwanegodd atodiad:

"A wyddech chi, pan ddalion nhw'r cwningod i gyd fe golapsiodd y clawdd!'' Nid cwympo na syrthio na chwalu — ond colapsio.

Mae'r stori nesaf yn fersiwn lawnach na'r arferol o stori sy'n gyffredin i lawer ardal. Fe ddaw hon o ardal Corwen ac fe'i hadroddwyd gan Tecwyn Lloyd:

"Ar y fferm agosaf i'm hen gartref rhaid oedd ffureta cwningod yn ystod y gaeaf er mwyn cadw eu nifer o fewn terfynau. Un tro, fel y mae'n digwydd ar brydiau, yr oedd ffuret rywle o dan y ddaear ac yn gwrthod dod allan am ei bod yn gwledda ar wningen. Gan ei bod yn nosi, doedd dim i'w wneud ond cau pob twll ac aros tan drannoeth i gael gafael ar y ffuret. Ond methiant fu pob ymdrech i'w chael. Aeth pedwar mis heibio ond un diwrnod, dyma'r ffermwr yn cael llythyr gan is-reolwr glofa Gresford i ddweud fod un o'r glowyr wedi dal ffuret o dan y ddaear a gweld enw'r perchennog ar y goler ledr am ei gwddf. Hon oedd yr un a gollwyd; yr oedd wedi crwydro o dan y ddaear am tua deng milltir ar hugain a chymerodd fis iddi gynefino eilwaith â golau dydd, ar ôl crwydro yn nyfnderoedd y ddaear mor hir."

* * *

Dyn o 'Wlad y Medra', sef Ynys Môn, yn brolio ei filgi un diwrnod. Roedd o'n drybeilig o gyflym yn ei ôl o, ond roedd ei gynulleidfa braidd yn amheus.

"Mae hi'n ffaith ichi hogia bach — mi gododd sgwarnog un diwrnod, ac mi aeth honno dros lein y relwe. Fel roedd hi'n digwydd, roedd yr *Irish Mail* yn mynd heibio ond doedd yr hen gi ddim am golli ei brae. Mi garlamodd rhwng sbôcs olwynion yr injan a dal y sgwarnog. Ffaith i chi!"

* * *

Roedd William Jones y Go' (Fachwen) yn hoff o fynd am dro efo'r ci, a'i wn dan ei gesail, i chwilio am wningen neu ffesant. Dyna'r ci gorau, a'r mwyaf ufudd a fu gan William Jones erioed, medda fo — "Dim ond i mi ddeud wrtho fo, ac mi eith i orwedd i waelod y llyn, ac mi arhosith yno nes i mi ei alw o i fyny. Tydi o rioed wedi 'ngadael i lawr, ond mi ddylis i'r diwrnod o'r blaen 'i fod o wedi gwneud hynny. Roeddwn i'n cerddad ar hyd y lein a 'ngwn dan fy nghesail a'r ci wrth fy sawdl. Mi ddigwyddais droi 'mhen i edrach dros y llyn, a be welwn i rochor draw ond clamp o geiliog ffesant. Dyma nelu, a'i saethu o'n farw. 'Dyna chdi — dos i'w nôl,' medda fi wrth y ci, ac mi neidiodd ynta i'r dŵr ar unwaith a dechra nofio i'r ochor bella. Mi gerddis i ymlaen wedyn gan wybod y basa'r ci yn siŵr o 'nilyn i â'r ffesant yn 'i geg. Ymhen rhyw chwartar awr mi drois yn ôl i edrach welwn i o'n dŵad. Dim golwg ohono fo'n unlla. Roeddwn i'n dechrau poeni rŵan, nid am y ceiliog ffesant, doedd dim ots gin i am hwnnw, ond am fod y ci wedi bod yn anufudd am y tro cynta rioed. Mi gerddis am adra'n ddigon penisal; ond diawch, fel roeddwn i'n nesu at y tŷ mi glywn ogla rostio lyfli yn dŵad i 'nghwfwr i, ac erbyn i mi fynd i mewn roedd y wraig wrthi'n tynnu'r ceiliog ffesant o'r popty a'r ci yn gorwedd o flaen y tân yn sychu."

*   *   *

Mae'r straeon nesaf am gymeriad o ardal Llanrwst a elwid gan Bob Owen (Pernant) yn Ifan Celwydd Gwyn:

"Dwi'n cofio, achan, i mi anghofio cael cig at y Sul, ond mi roedd gen i filgi buan oedd yn medru snwyro rhywbeth o bell. Mi ddigwyddodd y milgi weld sgwarnog ar ochor Moel Siabod (tua deuddeg milltir i ffwrdd). 'Hei, was,' meddwn innau, 'cer i'w nôl hi,' a chyn pen ugain munud roedd o yn yr hewl a'r pry rhwng 'i ddannadd."

A phetasai rhywun yn digwydd gofyn beth ddaeth o'r ci wedyn:

"O," meddai Ifan gan ysgwyd ei ben, "rhyw fore dydd Iau, mi ddisgynnodd chwannen ar ei grwper, ac roedd o'n filgi mor fain, pan driodd o'i brathu hi, mi dorrodd ei hun yn ei hanner."

*   *   *

"Mi es i siop Hughes a Burows yn Llanrwst i brynu gwn, ac mi ddois i o hyd i un handi dros ben — un efo tro yn ei flaen o ar gyfer saethu rownd y gornel. Bore drannoeth, mi es i'w drio fo wrth gornel y tŷ 'ma — mi daniais y gwn; a dyma 'na weiddi a sgrechian mwyaf ofnadwy. Rown i wedi saethu'r postman yn ei draed, ond un go slo fu'r penbwl erioed."

* * *

Sam Davies, Pontrhydfendigaid yn adrodd ei hanes yn ffureta:-
"Wi'n cofio mynd mas i ffereta i goed Llwyngronwen unwaith," meddai Sam. "A diawch, roedd cymaint o gwningod yno fel y buodd raid i fi dynnu tair ar ddeg cwningen mas o'r twll er mwyn gwneud digon o le i'r fferet fynd mewn."

* * *

Cymeriad o Nantlle yn dweud hanes y "ci hyll".
"Hen fachgan o 'yd y lle 'ma, oedd gynno fo gi hyll. Ci da ofnadwy — mi o'dd o'n gi da. Wel o'dd o'n canmol y ci 'ma, a mi o'dd 'na ddefaid yn mynd drosodd i dir 'i gymydog o. Ac mi gododd un bora, yn fora iawn, o flaen y cymydog. A be o'dd i lawr w'th yr afon, w'th droed y chwaral, ond cwningod yn chwara. Hanner dwsin ohonyn nhw'n neidio drosd 'i gilydd a ballu. A dyma fo — i brofi ci mor dda o'dd y ci hyll — ci glas o'dd o, dyma fo — fasa fiw iddo fo chwibanu, na gweiddi, dim ond pwyntio. A dyma fo'n pwyntio'r cwningod i'r ci hyll. A dyma fo'n mynd lawr — a dyma'r chwech cwningan at'i draed o. O'dd o'n gi mor dda â hynny, medda fo."

* * *

Roedd Edward Jones, Pympar (o Nantlle) wedi mynd am dro gyda'i wraig i Sir Fôn. Roeddynt yn cerdded ar hyd y ffordd, ac yntau'n gwisgo het galed ar ei ben.
"A be ddoth i'n cyfarfod ni ar sbîd ond sgwarnog. Dyma fi'n trio'i dal hi efo'r het. Roedd corun yr het ar ôl ar y lôn, a'r cantal am 'i gwddw hi."

Robat Jôs yn dweud ei hanes yn hela ceirw wrth griw o fechgyn Eifionydd.

"Dwi'n cofio lawer o flynyddoedd yn ôl mi o'n i'n Jiyrmani. Ac o'n i 'di ca'l gwadd gin ŵr bonheddig — barwn — i hela ceirw. Mi o'dd yna goedwig fawr — doedd Sir Gaernarfon 'ma ddim ond fel gardd fach y ffrynt mewn cymhariaeth. Oedd pawb yn ca'l ceffyl i fynd allan, a gwn. Ac wedyn os y byddech yn mynd ar goll, canu corn, fel rhyw drympet. Dyma fi i mewn i'r goedwig a dal i fynd nes imi golli pawb arall. Canu corn ond gweld na chlywed neb, ond carreg ateb o'r coed. Wedi bod wrthi trwy'r dydd, ac heb weld carw — dim ond dail coed. A phan oeddwn i'n dod drwy dair o goed, mi welwn i'r carw mwya welodd neb erioed, a'i gyrn o fel coed derw. A dyma fi'n meddwl tanio, ond doedd 'na ddim catrij fel sy heddiw, o'dd raid i chi roi 'ych shot i mewn — y powdwr i mewn, a'r shot wedyn a'i ramio hi i mewn cyn tanio. Wedi imi roi y powdwr, mi ffeindis nad o'dd gen i ddim shot. Methu gwybod be i'w neud.

"Trwy lwc, mi oedd yna goeden tseris [*cherries*] yn tyfu jest wrth ymyl. Dyma roi dyrnaid o rheini i lawr y baril a'i ramio fo. Mi saethis i'r carw rhwng 'i gyrn ond laddis i mono. Mi a'th i ffwrdd, a chyn hir, oriau, hwyrach dyrnodia fechgyn, mi ges i hyd i'r lleill. Mi oeddan nhw'n chwilio amdana i ym mhob man.

"Wel, ymhen blynyddau wedyn, fechgyn, mi o'n i yn Jiyrmani, ac efo'r barwn, ac yn mynd i hela carw i'r un goedwig. Dal i fynd eto drwyddi, ac ôl of e sydyn, fechgyn, dyma'r carw 'ma i'n cŵr ni. A be feddyliech chi? Oedd 'na goeden tsieris yn tyfu rhwng 'i gyrn o. Mi saethwyd y carw ac o'dd 'na ddigon o tsieris ar 'i gyrn o."

Anifeiliaid anarferol

Ceisiais ddidol y straeon hyn er mwyn eu cadw ar wahân i straeon sydd yn gysylltiedig â ffermio a hela. Fel arfer, mae straeon am anifeiliaid anferthol eu maint yn perthyn i'r brîd 'stori 'Merica' ond fe ddaeth yn amlwg fod gennym ninnau anifeiliaid yr un mor anarferol â'r Ianci.

Ymffrostiai Lewis un noson yn y Farmers ei fod wedi magu gŵydd oedd yn pwyso hanner can pwys.

"Paid dweud dy gelwydd diain, Lewis," meddai un o'r bois wrtho. "Does dim gwydde o'r seis 'na i'w cael hyd 'nod yn Canada, bachan."

"Wel, roedd hon gen i yn pwyso cymaint â wedes i," tystiai Lewis, "a bu'r teulu i gyd fyw arni am wythnos gyfan," meddai gan haeru. "A pheth arall i chi, bois, mi nes i dŷ glo o'i sgerbwd hi, a dyna ble ma'r llwyth glo geso 'i ddoe wedi'i ddodi'n didi."

Rhoddwyd ceffyl wyth oed i redeg mewn ras. Nid oedd erioed o'r blaen wedi rhedeg mewn ras, ac roedd y betio yn ei erbyn yn 80/1. Ond fe a enillodd y ras o ddigon.

Daeth dau o'r swyddogion at y perchennog, yn amheus iawn.

"Pam na fasech chi wedi rhoi ceffyl mor gyflym â hwn i redeg mewn ras cyn hyn?" gofynnodd un ohonynt iddo. "Mae o gennych ers wyth mlynedd."

"Ydi," meddai yntau. "Ond, a deud y gwir wrthych, doeddem ni ddim yn gallu 'i ddal o nes iddo droi'r saith oed."

★ ★ ★

Buan iawn y darganfu Wil Owen mai camgymeriad yw cadw ci mewn tŷ sydd â'i ddrws ffrynt yn agor i'r stryd, a'r ardd gefn ddim digon mawr i'r ci gael lle i chwarae ynddi.

Ond roedd Tomi, bachgen bach Wil, wedi mynnu cael ci yn anrheg ar ei ben-blwydd yn wyth oed, ac fe brynodd Wil un iddo, y mwngrel rhyfeddaf a welsoch erioed.

Newfoundland Labrador oedd mam y ci. Retriever du cyrliog oedd honno, ond St Bernard oedd ei dad. Ci bychan oedd o pan brynodd Wil ef, yn dri mis oed. Ymhen y flwyddyn, roedd o cymaint â llo.

Mi ddechreuodd redeg ar ôl moto beics (y retriever ynddo yn ei gymell, mae'n debyg). Aeth yn gymaint o niwsans nes bod yn rhaid i Sarjant Hughes roddi rhybudd pendant i Wil.

"Weli di, Wil," meddai'r rhingyll, "mae'n rhaid iti neud i ffwrdd â'r ci yma, neu 'i ddysgu o'n well. Pam nad ei di â fo efo ti pan fyddi di'n mynd allan i saethu adar? Mae o'n hanner retriever, a ddylset ti gael dim trafferth i'w ddysgu i gario. Am eu bod yn gŵn adar mor dda y daethpwyd â'r labradors yma o Newfoundland."

Aeth Wil â'r ci gydag ef, ac yn wir i chi, cyn pen y mis roedd Carlo wedi dysgu cario adar yn 'i geg yn ddeheuig dros ben.

Ond un bore dyma Tomi yn rhuthro i'r tŷ ar ei hyll. "Nhad!" gwaeddodd. "Dowch allan! Mae Carlo wedi rhedeg ar ôl Mini, a'i ddal o, ac mae o wrthi'n 'i gladdu o yn yr ardd!"

Cymeriad o Gemaes (Sir Fôn), yn dal crancod.

"Wythnos diwethaf, mi ddalis granc, roeddwn i'n strechio cymaint i ddal gafal yn ei gistan, dyma'r cwch yn ysgwyd. Wyddoch chi beth oedd yna? Ei fam o wedi dod i chwilio amdano fo!"

Mi ddaliodd yr un gŵr gimwch mor fawr un tro nes y rhoddodd o i'r wraig i'w gadw yng nghefn y tŷ — i dorri coed tân!

★ ★ ★

Mae sôn am geffyl chwarel a haliwr a arferai lojo yn y barics yn cysgu'n hwyr. Aeth y ceffyl at y ffenestr a rhwbio'i drwyn yn y gwydr gan ddeffro'i feistr. Cododd hwnnw at y ffenestr a dweud wrth y ceffyl am fachu'r wagen a llwytho llwyth yn y twll.

Gwnaeth y ceffyl hyn a daeth yn ei ôl wedi dadfachu. Yna aeth i nôl piser yr haliwr a mynd a fo i'r efail i gael dŵr poeth at ei de.

★ ★ ★

Roedd Twm Huws yn meddwl y byd o'i ddau gi defaid, Molly a'i mab Pero. Nid ef oedd yr unig un: roedd pawb a wyddai am y ddau gi yn rhyfeddu at eu clyfrwch.

"Mae gen ti ffortsiwn yn y ddau gi yna," meddai Rowlands y Crown wrth Twm un noson. "Mae 'na syrcas yng Nghaernarfon yr wythnos hon. Dos â nhw yno, a dangos i'r dyn biau'r syrcas be all y cŵn 'i wneud."

Fe aeth Twm â'r ddau gi i Gaernarfon, a chafodd air â pherchennog y syrcas. Ond nid oedd hwnnw'n dangos fawr o ddiddordeb yn y cŵn.

"Mae pobol wedi syrffedu ar driciau cŵn," meddai.

"Nid gneud triciau y mae Molly a Phero," ebe Twm.

"O, beth yntau?"

"Mae Twm yn canu alawon gwerin, a Molly yn cyfeilio iddo ar y piano."

Doedd y gŵr ddim yn credu Twm, ond wedi hir grefu arno, fe gafodd Twm gyfle i brofi ei fod yn dweud y gwir.

Doedd llais Pero ddim wedi torri'n iawn, ac roedd o braidd yn sigledig ar y top C; ond roedd ei nodau isel yn faritonaidd hyfryd.

Roedd perchennog y syrcas wedi dotio atyn nhw.

"Dywed i mi," meddai wrth Twm, "fedran nhw ganu rhywbeth heblaw alawon Cymraeg?"

"Fydden nhw fawr o dro yn dysgu," ebe Twm.

"Reit!" meddai'r dyn, "os medri di ddysgu dwy gân bop Saesneg iddyn nhw, mi rof ddecpunt y noson iti, a chontract am chwe mis."

Tynnwyd y cytundeb, ac yr oedd Twm ar fin ei arwyddo pan droes, braidd yn euog, at ŵr y syrcas.

"Fedra'i mo'ch twyllo chi," meddai. "Wnaiff fy nghydwybod i ddim gadael imi eich twyllo."

"Twyllo bybê?" ebe'r dyn. "Mi welais Molly a'm llygaid fy hun yn canu'r piano, a Phero yn canu'r alawon."

"Pero ydi'r drwg," meddai Twm. "Y gwir amdani ydi hyn, syr. Fedr Pero ganu yr un nodyn ers pan mae'i lais wedi dechrau torri. Cymryd arno ganu y mae o. Molly sy'n taflu ei llais: mae hi yn *ventriloquist!*"

* * *

Yn y gyfrol *Wês Wês*, sydd wedi ei hysgrifennu mewn tafodiaith rhannau o Ddyfed, ceir hanes David Thomas (Daniel y Pant), Trefdraeth yn rhoi'r Dablen Sur (cwrw sur) i Siwsan yr hwch.

Yr oedd y Dablen a gafwyd wedi suro ac yn lle ei daflu i ffwrdd, penderfynwyd ei ddefnyddio er mwyn pesgi'r hwch. Ar ôl ychydig ddyddiau 'ar y cwrw' roedd hi'n tewhau.

Ond un diwrnod, dyma'r hwch yn neidio dros wal y twlc ac yn rhedeg yn glep yn erbyn drws y tŷ gan wneud sŵn mawr. Ffwrdd â hi wedyn i lawr am y Traeth Mawr. Erbyn hyn, roedd pawb wedi mynd i'w tai, a rheiny o dan glo, gan fod arnynt ofn yr hwch. Penderfynwyd ei saethu hi gan ei bod yn beryglus, ond er mwyn gwneud yn siŵr o'i difa hi, rhaid oedd cael rhaff amdani er mwyn ei thowio hi allan i'r môr y tu ôl i gwch. Llwyddwyd i gael y rhaff am ei gwddw, ond wrth fynd allan i'r dŵr dwfn, roedd 'rhen Siwsan yn gallu nofio'n iawn a dyma hi'n dechrau nofio rownd a rownd y cwch gan dynnu'r cwch ar ei hôl. Felly, gollyngwyd y rhaff a gadawyd iddi fynd. Roedd yr hwch yn nofio yn ôl ac ymlaen gan gynhyrfu'r dŵr yn arw.

Mae'n rhaid ei bod hi wedi boddi yn ystod y nos. Erbyn y bore, roedd y Parrog, Traeth Mawr, Traeth Bach a'r Traeth Cocs i gyd wedi eu cuddio o daen haenau o bysgod o bob math. Roeddynt wedi cael cymaint o ofn yr hwch, mae'n debyg. Mi fu cart dau geffyl am bedwar diwrnod yn cario'r pysgod i Grymych i ddal y trên i'w gyrru i ffwrdd. Yn ôl geiriau Daniel y Pant: "Nes i fwy o arian mas o'r digwyddiad bach yna na mewn deng mlyne' o ffarmo."

* * *

Ar lan yr afon fach yng nghefn ei dŷ sylwodd Twm Jac (Trefor) ar lygoden fawr mewn cryn benbleth. Wrth ei hymyl yr oedd potel sôs, heb gorcyn, a rhywfaint o'r cynnwys yn dal ynddi, fel sydd arferol. Daeth fflach o weledigaeth i'r llygoden a gwthiodd ei chynffon i mewn i'r botel a'i rwbio yn y sôs. Yna tynnodd ei chynffon allan, ei lyfu ac yn fuan glanhawyd y botel yn lân ganddi.

* * *

Bu Wil Go' o 'Stiniog yn gweithio am gyfnod ar y pympiau dŵr a oedd yn gwagio rhannau isaf Chwarel y Llechwedd. Âi i mewn dros nos i edrych ar ôl y pympiau. Roedd cwt bach yno, iddo ymochel a gwneud paned ac roedd *hot plate* yno hefyd rhag ofn fod eisiau gwneud bwyd arno yn ystod y nos. Gerllaw'r pympiau yr oedd ffôn i gysylltu'n fewnol y tu mewn i'r gwaith yn unig. Aeth Wil i mewn un noson, ac aeth â stecan i'w choginio. Yn ôl yr hanes, rhoddodd y stecan ar yr *hot plate* tua hanner nos a mynd i nôl dŵr i'w ferwi yn y tecell.

"Dyma'r ffôn yn canu — rhyw ganiad ysgafn ond nid canu'n iawn chwaith. Mi es allan at y ffôn ac erbyn imi gyrraedd, fe stopiodd ganu ac nid oedd neb yn ateb pan godais y teclyn. Rhoddais y ffôn i lawr a mynd yn fy ôl. Edrychais ar yr *hot plate*. Doedd dim golwg o'r stecan. 'Iesu, be sy 'di digwydd?' medda fi. 'Wel y diawliaid,' medda fi wedyn, wrth sylweddoli beth oedd wedi digwydd. W'ch chi be oedd? Dwy lygoden fawr oedd yno, un wedi mynd i chwara efo'r ffôn i dynnu fy sylw, a'r llall wedi rhedag i ffwrdd efo'r stecan. Mi fu'n rhaid imi fodloni ar banad a brechdan y noson honno."

* * *

Yr un cymeriad eto yn dod adref i'w gartref. Gwyddai fod y wraig wedi mynd i siopa yn Llandudno. Wrth ddod drwy giât yr ardd fe welai fod y teledu ymlaen ac fe gymerodd fod ei wraig wedi cyrraedd adref.

"Mi es i mewn i'r tŷ, a be oedd 'na ond dafad yn gorwadd ar y soffa yn gwylio'r T.V. Doedd 'na neb arall yn y tŷ. Yr hyn fu yn fy mhoeni i oedd sut uffarn yr aeth hi i mewn i'r tŷ yn y lle cynta."

* * *

Cymeriad o Benygroes yn trio perswadio ei fêt i roi swllt ar geffyl.

"Roedd o'n rhedag mor ffast yn y ras tri o'r gloch yn Haydock, mi ddoth yn drydydd yn y 'two-thirty'."

Straeon Eraill

Dyna ydi'r drwg ceisio dosbarthu pethau o dan benawdau. Ni ellir ffitio pob peth yn daclus bob tro. A dyna'r gwir yn union am y dyn celwydd golau hefyd; dydi o, fel arfer, ddim yn ffitio i'r patrymau stereoteipaidd yr ydym yn eu creu mewn cymdeithas. Does ryfedd, felly, nad yw'r straeon yn ffitio'n hwylus o dan benawdau. Ceisiais eu gosod mewn trefn i ryw raddau, ond dyma'r gweddill niferus. Dwi'n siŵr y bydd ambell un yn gweld bai arnaf am eu gosod 'fel baw gwylan' ond rwy'n siŵr y bydd y straeon, fel straeon, yn siŵr o blesio.

Rwyf eisoes wedi adrodd rhai o hanesion William Jones (Fachwen). Hobi arall oedd ganddo oedd gwneud ffyn. Byddai ganddo un yn ei law i ba le bynnag yr elai, a'i fagl wedi ei cherfio'n gywrain ar ffurf pen tarw, pen alarch a ffurfiau cyffelyb. Nid yr un ffon a gariai bob amser, newidiai hwy'n fynych fel y câi pawb weld yr amrywiaeth yn ei stoc.

Yr oedd ar faes Caernarfon un nos Sadwrn a thwr o chwarelwyr o'i gwmpas yn edmygu ei ffon ddiweddaraf. "Deudwch i mi, William Jones," meddai un o'r criw, "ble mae'r ffon hardd honno welis i gynnoch chi ryw fis yn ôl? — Mi roedd honno'n un anghyffredin o smart."

"Aros di funud," atebodd William yn fyfyrgar, "prun oedd honno dywad? — O, diawch, rydw i'n cofio rŵan. Wel iti, ro'n i'n digwydd bod yn Lerpwl y Sadwrn o'r blaen, a dyma ryw ddyn diarth yn 'i sbotio hi ac yn dŵad yn syth amdani. Capten llong oedd o, ac roedd o wedi gwirioni'n lân ar y ffon. Y diwadd fuo i mi adael iddo fo'i chael hi am bumpunt. Feddylis i ddim chwanag am y peth, ond ddoe, be ddyliet ti? — Dyma lythyr yn landio acw o New York — ordor am bum mil o ffyn!"

* * *

Aeth cymeriad arall am dro i Bwllheli ar gefn ei feic. Pan oedd ar gychwyn adref dechreuodd fwrw glaw a dyma godi sbîd, meddai.

"A phan gyrhaeddais Gaernarfon, roedd yr olwyn ôl yn wlyb domen ond yr olwyn flaen yn berffaith sych."

Mae gan Lyn Ebeneser fersiwn arall o'r un stori yn ei hunangofiant, *Cae Marged*. Hanes Sam Davies o Bontrhydfendigaid a Twm Williams ei gyfaill yn dod adref o'r De ar gefn motobeic.

"Fel own i'n tanio'r motobeic, fe ddigwyddodd Twm weud ei bod hi'n dechre bwrw glaw, ac i fi wasgu arni. Fe wnes, a dod 'nôl i'r Bont o flân y glaw bob cam. Ond diawch, bois bach, credwch ne beidio, roedd Twm ar y pilion yn wlyb at 'i grôn!"

* * *

Ifan Harris, Dolwylan yn torri beddau ym Mynwent Eglwys Llandysiliogogo. Yr oedd mor brysur ar un cyfnod fel y bu rhaid iddo godi pabell yn y fynwent am chwe mis! Priododd dair gwaith ac yn ôl ei stori ef, wrth dorri bedd y cafodd hyd i fodrwy i roi ar fys ei ail wraig!

Roedd gŵr o ochrau Pen-y-groes, ger Caernarfon, wedi cael gafael ar sbienddrych pan oedd rheiny'n dal yn bethau prin iawn. Dyma fo i fyny i ochrau mynydd Nebo i weld be welai o, ac aeth tri neu bedwar o rai chwilfrydig gyda fo. Eisteddodd i lawr a ffocwsio i gyfeiriad Ynys Môn.

"Be weli di?" oedd cwestiwn un o'r criw oedd yn gwylio.

"Mi fedra i weld Caergybi . . . "

"Rargol, medri wir!"

"Be sy'n digwydd yno?" holodd un arall.

"Wel, mae 'na g'nebrwng yna. Ew, a ch'nebrwng mawr ydi o hefyd . . . Degau o dorchau o flodau . . . " a dyma fo'n newid chydig ar y ffocws. "Iechyd, mae 'na ganu da yno hefyd."

★ ★ ★

Yr oedd dyn dall, dyn cloff a dyn noeth yn mynd am dro. Gwelodd y dyn dall ysgyfarnog, rhedodd y dyn cloff ar ei hôl, a rhoddodd y dyn noeth hi yn ei boced.

★ ★ ★

Yn yr hen ddyddiau, roedd Cymru yn magu ei chwaraewyr rygbi i fod yn galed. Dim rhyw bonshan efo tactegau a hyfforddi a ballu — yr unig gyfarwyddyd a gâi'r pac oedd i beidio â shafio am ryw dridiau cyn gêm ryngwladol. Yn y cyfnod hwnnw, roedd 'na un prop arbennig o gydnerth — nid shafio efo rasal yr oedd o ond shafio efo morthwyl. Mi fyddai'n taro blewiach ei wyneb ar eu pennau efo morthwyl ac yna yn eu cnoi efo'i ddannedd o'r tu fewn i'w foch.

★ ★ ★

Mae stori am William Jones y Gof (Gefail Glandwyfach) yn mynd i ffair Cricieth.

Un o'r campau i herio'r ifanc bryd hynny oedd trawo'n ddigon caled efo gordd bren nes gyrru darn o fetel i lithro ar wîb wyllt i fyny polyn a chanu cloch ar ei frig.

"Y diwrnod yma," meddai William Jones, "doedd 'run o'r holl weision ffermydd cyhyrog a oedd yn y ffair wedi llwyddo i ganu'r gloch, a'r hen hogia yn fy hysio inna i drio."

"Tyd, William tria!" medda nhw.

"Wel, ro'n i wedi arfar taro i 'Nhad yn yr Efail, ac mi afaelis yn yr ordd a thrawo, ac nid yn unig mi ganis y gloch ond mi falodd honno'n deilchion nes roedd hi'n sgrialu i bob cyfeiriad, a dyn y ffair yn dŵad ata i a deud:

"You must be William Jones the Blacksmith!"

★ ★ ★

Gŵr o Bentrefoelas (ond yn wreiddiol o Benmachno) yn dweud hanes wrth nifer ohonom un tro:

"Roedd gan stiward Chwarel Rhiwfachno gar newydd sbon a hwnnw'n un crand, ac yn un cyflym. Un tro, roedd o'n refio yn Nhop Llan (Penmachno) ac i ffwrdd â fo am y Cwm. Pan gyrhaeddodd chwarel Rhiwfachno (dros dair milltir i ffwrdd) roedd y llwch yn dal yn yr awyr yn Nhop Llan!"

★ ★ ★

Lle unig yw Pont Petryal ar y ffordd rhwng Llanfihangel Glyn Myfyr a Rhuthun. Lle am sbrydion hefyd. Un tro, roedd John Roberts, Ty'n Rhyd yn mynd i Ruthun dros nos gyda'r drol a'r ceffylau ac wrth ddod i lawr at y bont, gwelai ddynes i gyd mewn gwyn yn sefyll yr ochr arall. Dechreuodd symud i'w gyfarfod a daeth John i lawr o'r drol i afael ym mhen y ceffyl siafftiau rhag i hwnnw gael braw; gwyddai John mai'r 'ladi wen' oedd hon. "Pan oedd hi o fewn rhyw hanner canllath imi," meddai, "dyma hi'n troi'n olwyn o dân ac yn chwyrnellu heibio imi fel mellten. Mi fuo ogle llosgi ar fy nillad i am fis!"

★ ★ ★

Un waith dringodd dyn i fyny coeden helyg i'r nefoedd a disgynnodd yn ôl i'r ddaear ar raff wedi ei gwneud o wellt haidd. Ond yn anffodus nid oedd y rhaff yn ddigon hir ac felly cyrhaeddodd y ddaear trwy dorri darn o'r rhaff a oedd uwch ei ben a'i chlymu wrth y gwaelod.

★ ★ ★

Roedd y ddau was ffarm yn sôn am y breuddwydion a gawsant y noson cynt.

"Roeddwn i'n breuddwydio fy mod yn ffair y Borth," ebe'r cyntaf, "ac yn cael hwyl fawr yno. Roedd yn gas gen i ddeffro a cholli'r hwyl."

"Mi gefais innau freuddwyd braf hefyd," ebe'r ail. "Mi freuddwydiais fy mod i'n mynd am dro efo Brigitte Bardot, a phwy â ddaeth atom ond Diana Dors."

"Yr hen beth gwael iti," ebe'r cyntaf. "Pam na faset ti'n ffonio i ofyn inni neud pedwar?"

"Mi wnes," ebe'r ail, "ond fe ddeudodd dy fam dy fod wedi mynd i'r ffair!"

★ ★ ★

Yn ystod y Rhyfel Byd Cyntaf bu un o storïwyr celwydd golau Arfon yn saer ar long gargo. Un tro cafodd ei long ei suddo gan dorpido o long danfor. Te oedd y cargo a disgrifiad yr arwr o'i ddihangfa glòs oedd:

"Roedd o fel nofio mewn blydi tebot!"

Yn y diwedd cyrhaeddodd y lan a daliodd drên am adref. Ger Penmaenmawr tynnodd y gadwyn argyfwng ac atal y trên. Roedd wedi gweld ei focs twls yn nofio ar wyneb y môr gerllaw!

★ ★ ★

Rhyfel y Bôrs oedd hi, ac roedd byddin yr Ymerodraeth Brydeinig wedi cael cythraul o gweir gan y Bôrs. Ar ôl yr ymladd, roedd

71

Cadfridog y Prydeinwyr yn mynd o amgylch maes y gyflafan efo'i Ddirprwy gan edrych ar yr olygfa druenus — cyrff gwaedlyd ymhobman, cannoedd ar gannoedd o'i gyd-filwyr yn gelain.

Yn eu canol, wedi'i glwyfo yn ddrwg, ond er hynny'n dal yn fyw, roedd William Lewis o Benisarwaen. Mae'n rhaid ei fod wedi symud a bod y symudiad wedi dal llygad y cadfridog. Drwy'i lygaid gwaedlyd gwelodd William Lewis geffyl gwyn y cadfridog yn sefyll uwch ei ben a chlywodd y dyn mawr yn dweud wrth ei Ddirprwy:

"Thank God Private William Lewis is still with us."

* * *

Faint a wyddoch chi am ryfela tybed? Piti na fuasech chi efo mi yn y rhyfel yn Ashantir, Affrica. Deucant ohonom yn ein cotiau cochion wedi ffurfio sgwâr yn yr anialwch, a miloedd o ganibaliaid duon yn dawnsio o'n cwmpas, a phob un ohonynt yn dal picell finiog dwy lath o hyd. Roeddem ni wedi tanio ein bwledi i gyd, ac yn ymladd efo bidog ar flaen ein gynnau. Ar ôl i ni ladd pob un ohonyn nhw mi es i chwilio am Wil Huws, Llannerch-y-medd. Mi ddois o hyd iddo fo ar wastad ei gefn yn y tywod a phicell drwy ei frest, nes roedd o'n sownd yn y ddaear. Penliniais wrth ei ochr a gofynnais:

"Ydi'n brifo, Wil Bach?"

"Nac ydi," atebodd Wil, "dim ond pan fydda i'n chwerthin."

* * *

Cofiaf am un stori yn dda am gymeriad yn Rhyfel y Bôrs. Roedd wedi colli ei fataliwn: roedd y rhan fwyaf o'i gyd-filwyr wedi eu lladd, naill ai gan y gelyn neu gan yr haul poeth yng nghanol y Sahara. Ar ôl diwrnodau o guddio'r tu ôl i greigiau yng nghysgod yr haul, teithiodd yn oerfel y nos nes gweld golau yn disgleirio yn y pellter. Yn wan iawn ac ar ei draed a'i ddwylo cyrhaeddodd y golau a chnocio ar y drws. Agorwyd y drws, ac er mawr syndod iddo daeth dynes i'w groesawu. Pwy oedd honno tybed?

"Wel, fy modryb Sal!"

Doedd Dai ddim yn hapus iawn yn gweithio mewn fferm flin ei llethrau. Penderfynu aros gartre am ddeuddydd. Pan aeth yn ôl, y ffarmwr yn gofyn yn naturiol:

"Lle oeddat ti ddoe ac echdoe?"

"Ddim yn dda o gwbl," meddai Dai.

"Fuest ti at y doctor?"

"Do yn tad, — at ddau yn wir — yn Llanrwst."

"Beth ddydson nhw?"

"Wel," meddai Dai, heb ddim cyffro, "mae Doctor Lloyd yn ofni mai diciâu ydi o, ond mae Doctor Hugh yn taeru mai sein teulu sgin i."

A dyna ddiwedd y joban honno.

★   ★   ★

Roedd Huw Parri ar gael ei ben-blwydd yn gant oed, ac wedi bod yn smocio baco shag ers pan oedd yn ddeg oed.

Clywodd cwmni tybaco amdano, a gweld cyfle gwych i hysbysebu eu baco. Daeth cynrychiolydd y cwmni i gael gair â Huw.

"Fuoch chi rywbryd yn Llundain, Mr Parri?"

"Naddo, rioed. Mi garwn i'n fawr gael mynd."

"Fuoch chi erioed mewn awyren?"

"Naddo'n wir, ond mi fasa'n brofiad ardderchog."

"Fuoch chi'n aros mewn hotel fawr swel?"

"Rioed yn fy mywyd, ond mi hoffwn wneud."

"O'r gore," ebe'r cynrychiolydd, "mi af â chi yn y car i Lerpwl, ac oddi yno mewn awyren i Lundain. Mi drefnaf lety ichi mewn hotel fawr swel, ac ar ddydd eich pen-blwydd mi af â chi i stiwdio deledu'r I.T.N., a bydd miliynau o bobl yn eich gweld ar y telefision. Mi alwaf amdanoch yn yr hotel am naw o'r gloch?"

"Na, na," meddai Huw Parri ar ei draws, "wna hynny mo'r tro."

"Pam?"

"Mae'n rhy gynnar. Fydda'i ddim yn stopio pesychu tan hanner dydd!"

Roedd John Williams, Ty'n Llan, Llangwnnadl yn storïwr celwydd golau enwog yn ei ddydd. Un tro, roedd yn taranu mynd tua chan milltir yr awr ar hyd lôn fach gul ym Mhen Llŷn pan welodd garafan sipsiwn wedi aros yng nghanol y lôn o'i flaen. Nid oedd gobaith stopio, felly nid oedd dim i'w wneud ond neidio oddi ar y beic modur, gadael i hwnnw fynd rhwng olwynion y garafán, yntau'n rhedeg drwy un drws y garafán, allan drwy ddrws yr ochr arall, a neidio'n ôl ar y peiriant fel y deuai i'r golwg o dan y garafán.

* * *

Roedd Rhys Thomas (Rhys Tracsion) o Gwm Penmachno yn reidiwr beic selog, yn wir mi fu ei feic gennyf am flynyddoedd wedi iddo farw ond fedrwn i byth gyflawni yr un campau ag y gwnâi ef. Byddai'n mynd am dro ar gefn y beic ar ôl dod adref o'r chwarel. Dyma hanes un o'r teithiau hynny:

"Mi es i lawr i'r Betws, drwy Golwyn Bê ac Abergele i Ryl. Yna'n ôl drwy Ddinbych a thros Fynydd Hiraethog i Bentrefoelas, ac wedyn drwy Ysbyty Ifan a thros y Migneint. Troi wrth Ffynnon Eidda, i lawr Hafodrhedrwydd ac yn ôl i Cwm — erbyn swper!"

Cymeriad o Sir Fôn yn dweud hanes ei gyfaill oedd wedi cael sioc anferth wrth weithio ar ben polyn trydan.

"Mi es i weld o yn Ysbyty Gwynedd ddau ddiwrnod wedyn ac mi 'rodd o'n mygu byth!"

Stori arall gan un gŵr:

"Roedd y dyn yma'n gweithio'n Wylfa ac mi gafodd godwm nes malu pob asgwrn yn ei gorff. Mynd a fo mewn plancad i Ysbyty Gwynedd ac wedi cyrraedd fano, roedd y doctor yn ei dollti o allan ar y bwrdd yr un fath a jeli. Ond mi roddodd o yn ôl at ei gilydd ac mae o'n iawn heddiw!"

★   ★   ★

Roedd ffermwr yn methu marchogaeth ei geffyl dros bont gerrig. Aeth Dai allan o'r dafarn (Pont Lanio ger afon Teifi) a dweud y gallai farchogaeth y ceffyl dros y bont. Ar ôl her a bet o gini, fe aeth ar gefn yr anifail. Ond daliai'r ceffyl i wrthod symud cam. Bu yna weiddi a hysian ond nid âi'r anifail ymlaen, dim ond rhwbio yn erbyn wal gyferbyn. Gwasgodd goes Dai yn erbyn y wal hyd nes iddo dorri ei goes, a'r asgwrn o dan ei ben-glin yn gwthio allan trwy'r croen. Fel bu lwc, roedd meddyg yn digwydd bod yn y dafarn a bu'n rhaid gwneud penderfyniad ar unwaith. Nid oedd sôn am na chlorofform nac anaesthetic, a dim ond un peth oedd i'w wneud — sef torri ei goes i ffwrdd. Eisteddodd Dai ar y gadair hefo'i getyn yn llawn baco shag a glasiad o wisgi tra bu'r meddyg a'i gyllell o gegin y dafarn, a bwced o ddŵr berwedig yn perfformio'r llawdriniaeth.

Ysmygodd ac yfodd Dai tra torrodd y meddyg ei goes i ffwrdd ac ar ôl hynny, gosododd lond llaw o halen ar y clwy cyn ei rwymo. Dyma sut y cafodd yr enw "Dai Peg-leg", gan ei fod bellach wedi cael coes bren.

★   ★   ★

Cynigiwyd pensiwn gan Lloyd George i rai dros ddeg a thrigain ond fedrai 'rhen Dai Peg-leg ddim profi ei oedran. Fe wnaed amcangyfrif o'i oedran fel hyn:-

Fe'i ganwyd yng Nghorc a gadawodd Iwerddon pan yn dair ar ddeg mlwydd oed; bu'n gweithio ar fferm yng ngogledd yr Alban am bedair mlynedd ar bymtheg, yn gili (*gillie*) ar stâd yn ne'r Alban am bum mlynedd ar hugain. Ar ôl hynny, bu'n gipar i Pryse, Llanymddyfri am ddwy flynedd ar bymtheg. Ar ôl hyn, gwaeddodd ar ei wraig:

"Faint rydym wedi bod yn briod, Mari Anne?"

Atebodd hithau: "Pedair blynedd ar ddeg ar hugain."

Edrychodd y ddau ar ei gilydd a dweud "cant ac wyth o flynyddoedd."

"Wel, ond tydi'r amser yn hedfan?" meddai Dai.

★ ★ ★

Mae'r Parch John Alun Roberts yn adrodd hanes rhyw gymeriad o Drefriw oedd yn dweud fod ei daid mor ddychrynllyd o dal — dros saith troedfedd — fel bod ei draed o'n mynd yn oer ym mis Hydref ond nad oedd o'n dechrau pesychu tan fis Mawrth!

★ ★ ★

Cymeriad o Ben Llŷn (o Nefyn mi gredaf) yn dweud y straeon canlynol:

"Roeddwn yn golchi wings Wellington bomars amsar rhyfel a'u golchi yn ystod y dydd cyn iddynt fynd i fomio yn y nos. Rhyw ddiwrnod poeth yn yr haf, dyma fi'n eistedd ar y wing am ryw eiliad, ac mae'n rhaid fy mod i wedi syrthio i gysgu achos pan ddeffris i, ro'n i dros Berlin. A dyma fi'n edrach dros ymyl y wing, a wyddoch chi be welis i? Neb llai na Hitler ei hun, a hwnnw'n byta cornfflêcs!"

★ ★ ★

"Roeddwn i'n gweithio yn Nhanygrisiau adeg codi'r gwaith trydan yno a dyna lle'r own i un diwrnod yn gwylio dyn du oedd yn labro yno wrthi efo hacsô yn llifio drwy gebl cyn dewed â'i fraich o.

'Hei Sam,' medda fi wrtho fo, 'is that cable live?'

'No, man,' medda hwnnw.

Ond dyma fi'n lluchio sgriwdreifar i mewn i'r hollt roedd o wedi'i lifio yn y cebl — a dyma ddiawch o glec, fflam las fawr a'r sgriwdreifar yn chwalu'n ddarna mân.

Ac mi fasa'n werth iti weld wyneb yr hen Sam — mi roedd o wedi mynd yn hollol wyn!"

* * *

"Roedd gen i foto-beic un tro, a nymbar plêt miniog ar ei flaen o. Ryw ddiwrnod wrth ddod o 'ngwaith, mi fethis droi ac mi es yn syth drwy'r clawdd i'r cae. Yn union o 'mlaen roedd buwch. A wyddoch chi be? Mi holltodd y nymbar plêt hi yn ddau ddarn, yn union i lawr y canol!"

* * *

Cymeriad o Borthmadog yn dod ar gefn ei foto-beic i lawr Aberglaslyn. Dyma fo'n gweld merch yn gwisgo sgert mini gwta iawn ac mi drodd ei ben i gael gwell golwg arni. Tarawodd y moto-beic yn erbyn y palmant a thaflwyd ef dros y bont i'r afon. Wrth ddisgyn dros y bont, mi wnaeth *double somersault* a phan ddaeth yn ôl i wyneb y dŵr, roedd pawb oedd yn digwydd sefyll ar y bont yn clapio mewn cymeradwyaeth fyddarol.

Yr un cymeriad eto yn mynd ar ei foto-beic i gyfeiriad Caernarfon. Wrth Dolbenmaen, dyma fo'n taro cefn lori oedd yn mynd o'i flaen. Fe'i taflwyd ef i fyny i'r awyr ac mi wnaeth *somersault* a glanio yng nghefn lori oedd yn digwydd pasio ar y pryd ac yn teithio i'r cyfeiriad arall. Er mawr syndod iddo, pan ddaeth ato'i hun yn iawn, roedd wedi cyrraedd Porthmadog, ond heb ei foto-beic!

★ ★ ★

Weithiau, fe gewch eich dal gan stori sydd yn ymddangos ar yr olwg gyntaf yn stori gelwydd golau ond sydd â mwy iddi nag a dybiwyd. Clywais stori o'r math yma rai blynyddoedd yn ôl. Dwi bron yn siŵr mai un o straeon Caradog Hughes, Penmachno yw hi ond fedra i ddim taeru i hynny. Fel hyn yr oedd hi'n mynd:

"O'n i'n gweithio yn Ffinland un haf ac mi oedd yr haul yn anfarth ac mi gymrodd o gymaint o amser i fachlud nes oedd hi'n amser iddo fo ddod yn ôl newydd iddo fynd o'r golwg."

Dyna i chi ddisgrifiad o haf yn yr Arctig dybiwn i, gyda'i oriau hir o ddydd, a chyfnod byr iawn o nos, er mai stori gelwyddog iawn yw hi ar yr olwg gyntaf.

★ ★ ★

Cymeriad o chwarelwr ym Mlaenau Ffestiniog a elwid yn Huw Glwyddog yn dweud fod ei wraig wedi cael *operation gallstones* ym Mhwllheli ac fe gafwyd llond dwy ferfa o gerrig oddi mewn iddi!

Roedd cymeriad o Benmachno yn cerdded o Fetws-y-coed un diwrnod a dyma gar mawr crand yn stopio. Pwy oedd yn y car ond Tywysog Cymru a dyma fo'n gofyn:

"How are you, and how is your brother, Rhys?"

★ ★ ★

Mae sôn am un arall di-enw a oedd yn enwog am ei gelwyddau yn cael cyngor gan gydweithiwr.

"Mae gen i ffisig da i fendio'r anhwylder hwn sydd arnat ti." (Yr 'anhwylder' oedd dweud celwyddau.)

Y dydd canlynol, dyma'r cydweithiwr yn cyrraedd y chwarel gyda photelaid o'r ffisig a'i roddi i'r dyn celwyddog gan ddweud y byddai'n 'syrtan ciwar'. Dyma'r dyn celwyddog yn cymryd cegiad a'i boeri allan yn syth!

"Ach a fi, piso ydi o."

"Da iawn," meddai'r cydweithiwr, "mae'r ffisig yn gweithio'n barod!"

Un o Goventry yn wreiddiol oedd Chris Shepherd, ond yn byw ym Mhenrhyndeudraeth ers blynyddoedd lawer. Byddai'n hoff o ddweud ei fod wedi chwarae pêl-droed i dîm Coventry City, ac wedi i ddwy flynedd basio ers iddo roi'r gorau iddi, aeth i weld gêm i'r 'City Ground'. Yn digwydd bod, y Sadwrn hwnnw roedd Coventry yn fyr o chwaraewr. Dyma fo'n clywed llais ar y corn siarad yn gofyn iddo fynd i'r ystafell newid. Pan ddaeth y tîm allan ar y cae, roedd Chris Shepherd yn eu mysg, a fo sgoriodd y gôl i ennill y gêm — wrth gwrs!

★ ★ ★

Elis Ifans, Morfa Dinlle yn adrodd hanes am ei daid. Roedd ei daid wedi ei ddal yn cyflawni rhyw drosedd neu'i gilydd ac fe'i carcharwyd. Ysai am ddianc a chwiliai am gyfle'n gyson. Roedd y carchar ar ffurf gwersyll ac roedd un gongl yn wlyb neu roedd ffos yn rhedeg yno. Sylwodd fod nifer fawr o sliwod yn y lle gwlyb hwn a bod crëyr glas yn dod yno i'w bwyta bob dydd.

O'r diwedd, trawodd ar syniad sut i ddianc: daliodd sliwen fawr a chael cortyn cryf a'i glymu am y sliwen. Cyn hir daeth crëyr glas yno a'i bwyta. Dywedodd fod perfedd crëyr glas fel un gwylan — yn un llinyn mawr drwy ei gorff — llyncodd y sliwen gan dynnu'r cortyn gyda hi cyn iddi basio drwyddi drachefn. Daeth un arall, ei bwyta, a digwyddodd yr un peth eto, ac eto, ac eto, nes bod nifer yno, wedi eu cysylltu â'i gilydd gan y cortyn. Yna gafaelodd yn dynn yn y cortyn, ac ar ôl 'uffar o stiw', dihangodd o'r lle.

★ ★ ★

William Jones, Fachwen yn tyfu 'dêlias', ac un arall, John Jones neu John´Shop o Bethel, yn brolio'r 'dêlias' oedd ganddo fo. Dyma'r cyntaf yn troi at yr ail ac yn gofyn iddo:

"Yli, be ti'n frolio dy 'ddêlias', blanis i rei diwrnod o'r blaen," medda fo. "Dyma'r wraig allan bora 'ma i nôl dŵr i'r taps a be o'dd yn dalcan tŷ ond ryw bolyn mawr, medda hi. A dyma hi'n deud be o'dd hi 'di weld, 'de. Mi es i allan i sbio, a be o'dd 'na ond y 'dêlias'

80

'ma 'di tyfu mor ofnadwy bu raid imi ga'l ystol i fynd i ben o, ac olwyn beic i fesur y 'dêlias' — oddan nhw 'di tyfu mor fawr.''

★ ★ ★

Anafodd rhyw gymeriad ei lygad un diwrnod a bu'n rhaid mynd ag ef i Ysbyty'r Chwarel (Dinorwig) i'w ymgeleddu. Pan ddaeth yn ôl i'r bonc, holodd rhai o'r hogiau ef sut y bu arno.

"Ddim yn ddrwg y'chi, ond mi ges 'nychryn am dipyn. Mi dynnodd y doctor fy nwy lygad i a'u rhoddi ar y bwrdd yn y 'surgery' er mwyn iddo gael 'u llnau, medda fo. Pan oedd o wedi troi'i gefn am eiliad, mi ddaeth cath yr 'hospital' i mewn a'i gneud hi am fy llgada i, ond trwy lwc mi gwelis i hi yn ddigon buan i gael y blaen arni hi i'w cymryd oddi ar y bwrdd.''

★ ★ ★

Roedd yna ddyn o Aberdaron wedi mynd i weithio i'r dociau yn Lerpwl, ac mi ddaeth llwyth o blwm yno. Aeth hi'n dwrw ar un waith — nid oedd neb yn mynd i'w gario fo, yr holl bwysau trwm yma i'r warws nad oedd ond tipyn bach o ffordd. Taerent y dylent gael trol a cheffyl i'w gario.

"Twt," meddai'r dyn o Aberdaron, "tydi hi'n stido bwrw, ylwch tywydd ydi hi. Tydi hwn ddim yn drwm.'' Ac er syndod i bawb, dyma fo'n rhoi un ar bob ysgwydd a dechrau martsio. A phan oedd o'n rhoi ei draed ar y ffordd, mi fyddai'n gadael twll bob tro, yn uwch na'i ben-glin — gan ei fod yn mynd i lawr efo'r pwysau mawr. Roedd y plant o gwmpas y dociau wedi dychryn mor ofnadwy, ac mi foddodd amryw ohonynt yn y tyllau mawr yn y ffordd oedd erbyn hyn wedi'u llenwi â dŵr glaw.

★ ★ ★

Roedd J.R. wedi bod am gyfnod yn gweithio yn Affrica yn y mwynfeydd aur. Byddai'n adrodd ei hanes a'i helyntion gyda chyfaill iddo wrth drin a thrafod y 'brodorion' yn y 'mines' chwedl yntau.

Dau yn hoff o'u cwrw oeddynt. Nid hawdd bob tro oedd cael cyfle i fynd o'r gwaith i'r dref agosaf am 'rhyw un', chwedl J.R.

Roedd wedi colli un llygad ers blynyddoedd ac wedi cael llygad gosod yn ei lle. 'Llygad tseini' fel y'i galwai. Daeth syniad iddo un diwrnod y gallasai ei ddefnyddio gyda'r brodorion er mwyn eu disgyblu a'u cael i gadw unrhyw orchymyn a roddai iddynt. Tynnodd ei lygad o'i ben un diwrnod a dangosodd hi i bennaeth y gweithwyr brodorol. Awgrymodd mai llygad duw arbennig a wasanaethai ef ydoedd, ac y gallai gyda'i gymorth weld pob peth a ddigwyddai heb iddo ef yn bersonol fod yn y lle hwnnw. O roddi'r llygad mewn man arbennig yn y gwaith gwelai pwy a weithiai a phwy a ddiogai gan drosglwyddo'r wybodaeth i J.R.

Wedi egluro hyn, penderfynodd y ddau gyfaill un bore fynd ar eu sbri i'r dref gyfagos gan adael y gwaith yng ngofal y pennaeth a'r llygad tseini. Gosodwyd y llygad i orffwys mewn fforch cangen coeden, gan siarsio'r pennaeth fod y dynion i wneud eu gwaith, ac oni ddigwyddai hyn câi'r ddau gyfaill wybod wedi dod yn ôl. Cafodd y ddau eu sbri, a gwnaed y gwaith yn foddhaol. "Ac ma' honna'n efengyl," meddai J.R. wrth adrodd yr hanes, "achos mae'r dwytha ddeudodd hi dal yn fyw."

*   *   *

Roedd gŵr o Ddyffryn Nantlle yn cael enw o fod yn gybydd. Fe fyddai yno ŵydd bob Nadolig ond fe fyddai'r hen frawd yn gofalu dweud am ei llenwi hi mor llawn â phosib gyda stwffin. Wedyn, y stwffin fyddai'n ei fwyta gyntaf, cyn dechrau ar yr ŵydd. Mi fyddai yno gig moch, hefyd, i'w ffrio. Gosodai lwmp o'r cig moch a llinyn main yn sownd ynddo, ei gnoi o'n reit dda a llyncu bara. Wedyn, mi fyddai'n tynnu'r cig moch yn ei ôl, a'i ail gnoi.

*   *   *

William Jones (Fachwen) yn adrodd hanes ei sbeinglas:

"Hwnnw'n tynnu chi, 'de. Sbio o fan yma, Fachwen, ar yr Wyddfa. Gweld y bobol, gweld 'u pocedi nhw, gweld nhw'n estyn hances neu da-da o'u pocedi.

"Sbio unwaith i Iwerddon. Gweld nhw yn Iwerddon yn dod i lawr stryd. Dynas yn troi i siop a dynas yn troi i siop arall. Gweld cnebrwng yn Iwerddon yn dod i lawr y stryd. Yn gweld yr arch ar yr elor, a bob dim yn yr hers. Fedra'i ddim deud yn iawn — ddim pronownshio'r enw oedd ar yr arch. O'n i'n gweld yr enw ar blât yr arch. O'n i'n saff o un peth oedd ar yr arch. 'Êj — sicsdi tŵ' ar y plât 'de, ar yr arch dderw." Ac yntau wedi gweld y cwbl o ochr Dinorwig!

★ ★ ★

Cymeriad o 'Stiniog yn dweud un diwrnod:

"Dach chi ddim yn gwbod be 'di llong fawr, hogia. Mi fues i yn gweithio ar long fawr, ac mi oedd hi mor fawr nes oedd y cwc yn gorfod cael cwch i fynd o gwmpas y badell gyda rhwyd i godi'r 'donuts' o'r saim!"

★ ★ ★

Roedd yna gynllun ar y gweill un tro i dorri lefel o chwareli Blaenau Ffestiniog er mwyn i'r dŵr (a oedd yn broblem barhaol) redeg allan i'r afon yn Rhyd-y-sarn (ger Maentwrog). Ni wireddwyd y cynllun ond bu cryn drafod arno ymysg y chwarelwyr.

"Dydi'r lefal ddim yn dŵad allan yn Rhyd-y-sarn," meddai un, "mi ddeudodd un o'r 'syrfeors' wrtha i mai yn selar y Sportsman ym Mhorthmadog y bydd hi'n dŵad allan."

★ ★ ★

Gof arall o'r 'Stiniog, a hwnnw wedi'i enwi yn Wil, hefyd, yn ddyn mawr cyhyrog ac yn gweithio yng ngwaith sets Arenig, gerllaw'r Bala. Un diwrnod fe ddaeth bachgen ifanc i weithio yno. Ei waith oedd helpu gyda'r cryshar. Mi aeth i ben yr hopren i hel y cerrig oedd yn dechrau cloi'r hopren. Llithrodd, ac aeth ar ei ben i mewn i'r hopren. Er mwyn achub ei fywyd, cafwyd criw o'r gweithwyr i godi'r hopren er mwyn gosod cerrig oddi tani i'w dal i fyny. Llwyddwyd i wneud hynny ac fe ddaeth yr hogyn allan heb frifo'n ddrwg iawn. Aeth y dynion ag ef oddi yno gan anghofio fod Wil y Go' yn dal yr ochr arall i'r hopren.

"Mi fues i'n bloeddio 'dowch yma'r diawliaid' am hir. Roedd gen i ofn gollwng yr hopren rhag ofn iddi falu, ac i minnau gael y 'sac'. Straeniais fy nghefn — mi sigodd o.

"Bu'n rhaid mynd â fi i ysbyty arbennig yn Lerpwl ac i ward wag efo un deg a chwech o wlâu ynddi. O'n i mewn poen ac yn methu sythu. Mi ddoth 'na ddoctor, ac mi roddodd ei ben-glin yn erbyn fy nghefn i'w sythu. Roedd o'n brifo yn ofnadwy ac mi wylltiais inna, ac yn fy ngwylltineb, mi luchais bob un gwely allan drwy'r ffenast. Mi redodd y doctor am ei fywyd ac mi oedd hi'n lwcus fod 'na neb yn y gwlâu. Ond chwara teg i'r doctor, hefyd, mi fendiodd fy nghefn i'n iawn."

⋆ ⋆ ⋆

Roedd cymeriad o Lanuwchllyn, Bob Jondi, ac eraill yn nhafarn y pentref yng nghwmni saer coed oedd wedi bod yn gweithio yn Halifax. Dyma'r saer yn dechrau sôn am ryfeddodau'r wlad bell. Un o'r rheiny oedd cybatsen, y fwyaf a welodd na chynt na chwedyn. Roedd yn digwydd ei phasio ryw noson stormus ac fe welodd drigain o wartheg yn llechu tani. Wel, dyma synnu a rhyfeddu wrth glywed y rhyfeddodau a'r cwmni yn mwynhau un glasiad ar ôl y llall. Dyma Bob Jondi yn rhoi ei big i mewn i sôn am y nawfed rhyfeddod.

"Pan oeddwn yn gweithio yn Birmingham," meddai, "y gwelais y peth rhyfeddaf a welais erioed, trigain o bobl yn gweithio efydd, ac nid oedd yr un ohonynt yn sŵn ei gilydd."

"Diar annwyl, beth oedd un mor fawr yn dda?" holodd y saer.

"I ferwi dy gybatsen di'r diawl!" meddai Bob.

Dau chwarelwr wedi priodi dwy ddynes ddu. Y naill yn brolio bod ei wraig o'n dduach na'r llall.

"Mi dorrodd 'ngwraig i ei bys wrth dorri brechdan nes roedd yna waed du fel oel ym mhob man."

"Dydi hynna ddim byd. Mi blygodd y musus i lawr bore 'ma i gau ei hesgid a dyma hi'n rhoi rhech nes roedd yna lond y tŷ o huddug!"

* * *

Cymeriad o Dal-y-sarn wedi entro Sioe Mynytho efo'i gyraints cochion, a'i fêt yn tynnu arno.

"Sut aeth hi?"

"O, ail wsti!"

"O, dim ond ail?"

"Ia. Yn yr adran tomatos!"

* * *

Cymro bach yn dangos atyniadau Gwynedd i rhyw Ianci. Hwnnw'n brolio bob dim yn 'Merica, fel eu bod nhw yn llawer mwy, ac yn cael eu codi'n llawer cynt nag yng Nghymru.

Dyma gyrraedd castell Caernarfon a'r Cymro yn dweud dim.

"Be ydi hwnna?" holodd yr Ianci.

"Dwn i ddim. Doedd o ddim yna bore 'ma."

* * *

Cymeriad o Eifionydd yn adrodd ei hanes yn y fyddin:-

"Roeddwn yn bocsio mewn cystadleuaeth yn y fyddin ac yn bocsio yn erbyn clamp o ddyn du mawr. Trawais ef nes y neidiodd dant allan o'i geg a chladdu ei hun yn y distyn uwchben y dyn du. Mae'r dant yna hyd heddiw."

* * *

Yr un cymeriad eto yn dweud ei hanes yn fachgen bach ar Ynys Enlli:

"Roedd yna bont yn mynd o Enlli i'r tir mawr ers talwm. Dwi'n cofio cerdded drosti lawer gwaith efo Mam i nôl bara i Aberdaron."

★ ★ ★

Yn ôl Jac, nid yn unig yr oedd yna bont o Enlli i'r tir mawr, ond ar drai isel iawn mae'n bosib gweld y ffordd sy'n mynd o Aberdaron i Enlli.

"Dwi'n cofio un tro mynd i Aberdaron efo trol a mul i nôl glo a dod yn ôl wedyn efo llond y drol cyn i'r llanw ddod dros y ffordd."

★ ★ ★

Pan oedd dim aeron ar goed celyn un Nadolig, dyma Jac yn dweud yn syth wrth rywun:

"Mi a'i a chi i Enlli, mae 'na goed celyn ym mhob man yn fanno a beris yn pwyso arnyn nhw."

Mae'n debyg nad oes yr un goeden gelyn ar Enlli.

Rhyw ugain mlynedd yn ôl, yr oedd dau ŵr o Benmachno yn siarad gyda ffermwr mewn tafarn yng Nghapel Curig. Roedd y ffermwr mewn oed, ac yn hel atgofion am ei ddyddiau cynnar:

"Dwi'n cofio, pan o'n i'n ifanc, mynd â gwartheg i Ddinbach lawer gwaith. Ar ôl eu danfon i fanno, byddwn yn mynd am beint neu ddau i'r Bwl. A wyddoch chi be, roedd 'na hen fardd yno, oedd yn sgwennu dramáu hefyd. Mi o'n i'n 'i weld o bob tro yr oeddwn yn mynd yno. A mi glywis i lawar amdano fo wedyn, ei enw o oedd Twm o'r Nant."

Y Cymeriadau
Straeon Charles Williams

Yn y gyfrol *Wel, Dyma Fo!* mae Charles Williams yn adrodd hanes nifer o gymeriadau oedd yn meddu ar y ddawn o ddweud straeon celwydd golau. Yn ei gyfnod fel gwas ffarm ym Môn, daeth ar draws llawer o gymeriadau ac mae'n dyled yn fawr iddo fo a'i debyg am gadw'r straeon a'r traddodiad yn fyw. Dyma nhw:

Hoffter John Williams, Pen'rallt, fyddai adrodd straeon 'celwydd golau'.

Roedd gan John Williams wn, ac mi oedd yntau'n saethwr da. Mi glywais amdano fo'n adrodd y stori amdano'i hun wedi gweld — prin weld, felly — rhywbeth yn uchel yn yr awyr. Prun bynnag, mi daniodd John Williams atyn nhw wrth fynd i'w waith un bore, ac roedd plu yn disgyn ar ei war o yn yr union lecyn fel roedd o'n mynd am ei waith fore trannoeth. Fel roedd o'n mynd i'w waith y trydydd bore, dyna dair o wyddau gwylltion yn disgyn wrth ei draed o!

"Yli uchal oeddan nhw," meddai. "Mi gym'son ddau dd'wrnod a dwy noson i ddŵad i lawr."

Dwi'n cofio un arall o'r pentref yn adrodd stori fel hyn:

"Wyddost ti Charles," meddai, "ro'n i'n dŵad adra noson o'r blaen — dŵad heibio Tŷ'r Onnen — ac mi o'n i'n teimlo 'meic yn drwm ofnadwy. Ond mi ddois fel medrwn i serch hynny a phan ddois i oddi ar 'i gefn o wrth y tŷ 'cw, mi ffeindis 'mod i wedi colli'r olwyn ôl!"

Dro arall mi adroddodd ei brofiad yn 'canlyn ceffyla' tua Llangwyllog. Roedd lein y trên yn rhedeg trwy Langwyllog am Lannerch-y-medd ac Amlwch.

"Ro'n i efo'r 'ffyla yn y cae wrth y lein 'na," meddai. "Ac mi wyddost pa mor sydyn ma'r trên yn dŵad i'r golwg o dan y bont 'na. Wel, ro'n i yno efo'r 'ffyla bore ddoe — ac yn ista gam ar led ar gefn un — pan ddaeth rhen drên 'na'n un pwff sydyn o fwg oddi tan y bont, a dyna'r 'ffyla'n dechra rhedag. Fedrwn inna yn fy myw 'u dal nhw — dim ond dal fy ngafal gora medrwn i — ond waeth ti p'run ro'n i'n ca'l sgwrs reit ddifyr efo'r dreifar wrth redag wrth 'i hochor hi felly!"

"Dw i'n cofio dro arall," meddai, "'mod i'n ceirad un noson o Lannerch-y-medd ar hyd y lein 'na a phan o'n i o fewn rhyw ddwy filltir i Langwyllog 'ychan, dyma rwbath â phwn i mi yn fy nhu ôl fel'na. 'Ma fi'n digwydd sbio tros f'ysgwydd ac mi sylwis ar f'union mai'r trên oedd 'no. Ac wrth 'mod inna reit sionc bryd hynny mi gefis Langwyllog o'i blaen hi."

Mi fûm i'n gweithio yn Nhŷ Mawr yn y cynhaeaf gwair, un tro, yr un pryd â'r hen fachgen. Yno roeddem ni felly yn y cae gwair, ac fel y digwydd ar adegau, dyna gocyn (mwdwl) cyfan o wair yn cael ei godi i fyny i'r awyr gan drowynt.

"Tydi hynna'n ddim byd achan," meddai yntau. "Dw i'n cofio pan o'n i'n gweithio yn y fan a'r fan, ro'n i'n dŵad at y tŷ, yli, efo wagen a llwyth o wair arni hi. Roedd 'no was arall ar ben y llwyth a dau o 'ffyla yn tynnu, ac mi ddoth 'no gymaint o drowynt nes codi'r wagan a'r 'ffyla a'r gwas i fyny i'r awyr, a tawn i'n marw, ddaethon nhw lawr 'mhen tair wsnos yn union run fan."

Roedd o'n byw mewn rhyw fyd llawn dychmygion fel yna. Taswn i'n digwydd deud rhywbeth fel hyn wrtho fo:

"Welis i un yn byta gŵydd gyfan ar un pryd."

"Tydi hynny'n ddim Charles bach," fyddai ei ateb yntau. "Dw i'n cofio gweini mewn un lle ac mi fyta'r ffarmwr hwnnw ddafad gyfa' ar 'i bryd yli."

Un arall oedd yn ei medru hi efo'r straeon yma oedd Owen Huws.

Mae dwy ffordd ym mhentre'r Bodffordd yn cydredeg — yn gyfochrog felly. Mae un yn mynd i fyny heibio'r ysgol a'r llall yn rhedeg i fyny drwy'r pentref am Lynfaes — yr hen Lôn Bost. Hon, fodd bynnag, oedd stori Owen Huws.

"Ro'n i'n dŵad lawr y lôn 'ma heibio'r ysgol ryw noson, Charles, ac mi oedd hi'n wynt ofnadwy. Mi chwthodd fy nghap i yli, ac roedd hi'n rhy dywyll i mi fynd ar 'i ôl o. Fel ro'n i'n mynd i fyny'r pentra wedyn i gyfeiriad Llynfaes ac wrth weithdy Joni Wilias saer, dyna rwbath â slap i mi ar 'y mhen — y cap yli!"

Mae'n anodd credu fod dyn fel Owen Huws yn medru

dychmygu stori gelwyddog fel yna. Dyn oedd yn flaenor parchus efo'r Annibynwyr ac yn neilltuol o dda ar ei liniau, yn gwybod ei Feibl o'r tu ôl ymlaen bron, ond eto, yn medru dyfeisio celwydd o'r fath. Mae'n wir mai celwydd digon diniwed oedd o, a heb fod yn gneud drwg yn y byd i neb. Mae'n debyg mai'r ysfa i ddiddanu — a honno'n un gref iawn — oedd ynddo fo, a rhoddai aml i nofelydd a storïwr proffesiynol y byd am feddu cyfran o'i ddawn.

Am ryw reswm, roedd o'n hoff iawn hefyd o honni fod rhyw betha mawr wedi digwydd iddo fo.

"Dw i'n cofio ca'l cic yn 'y ngheg gin geffyl nes roedd 'nannedd i hyd lawr stabal i gyd."

"Ond, dannadd 'ych hun sgynnoch chi Ŵan Huws," meddwn innau.

"Ia, Charles bach," meddai, "ond rhois i nhw'n ôl y munud hwnnw cyn i'r gwaed geulo."

Roedd pobol fyddai wedi bod yn y 'Merica yn dueddol iawn o orliwio hefyd. Dw i'n cofio bod yn dyrnu yn Nhŷ'n Llan, Llangwyllog, ac yn cario gwellt i ben y das, a phwy oedd yno efo mi ond William Tomos, Tŷ'r Onnen. Roedd 'na dipyn o 'r' yn William Tomos, Tŷ'r Onnen ac mi ddechreuodd adrodd hanes ewyrth iddo fo wedi bod yn y 'Merica.

"Fewyr-rth 'di bod yn 'Mer-ricia, a r-roedd teisi mor-r uchal yn fan'no fel er-rbyn gyda'r-r nos r-roedd r-raid iddyn nhw wyr-r-o'u penna er mwyn i'r-r lleuad ga'l lle i basio."

John Plas Gwyn a Charles Williams yn sôn am gwrw.

"Dew annw'l. Fyddi di'n ca'l dim Charli?"

"Na fydda i."

"Na, fuost ti ddim — drefn yn byd. Ond waeth ti heb â'i gael o hiddiw. 'Di cwrw hiddiw'n da i un dim. Dw i'n cofio pan o'n i'n byw ym Modfforth mi fyddwn i'n ca'l rhyw beint ne' ddau — ca'l gormod 'n amal, ond roedd o'n gwrw da adag honno; dim ond dŵr 'di hwn heddiw. Ti'n cofio fel byddan ni'n cer'ad o Langefni i Fodfforth?"

"Ydw, John Jones."

"Wyt ti'n cofio rhen wrychyn drain 'nw wrth Rhydsbardun?"

"Ydw."

"Wyddat ti, bod cwrw'n ddigon da 'radag honno i mi, fel medrwn i biso trosto fo a mynd trwyddo fo 'run amsar!"

Straeon y Parch. John Alun Roberts

Un o'r gwŷr ffraethaf, difyrraf imi gwrdd ag ef erioed yw'r gweinidog Wesle o Fethesda sydd bellach wedi ymddeol ac yn byw yn Abergele. Mae'n un o'r bobl brin hynny y gallwch eistedd yn gwrando arno yn dweud straeon heb sylwi pa mor sydyn y mae'r amser wedi hedfan heibio ac wedyn ar y diwedd yn anfodlon iawn iddo dewi. Mae'n wir i mi ddweud ei fod yn fy adnabod i cyn i mi ei adnabod ef gan iddo fy medyddio, ond mae'n rhaid fod ei ddylanwad arnaf wedi dirywio ar ôl iddo adael Penmachno! Rydych yn siŵr o golli trysor o noson wrth beidio mynd i wrando arno'n darlithio yn eich ardal. Mi wn am adeiladydd o Gricieth sydd yn fodlon teithio ymhell i wrando arno — yr un fath â'r ifainc yn heidio i weld eu hoff berfformwyr pop.

Pan soniais wrtho am fy mwriad i gasglu straeon celwydd golau, cynigiodd roi help imi yn syth. Cefais ganddo amryw o straeon am y cymeriad unigryw o Dregarth, John Pritchard ac fe ddof atynt yn y man. Yr wyf am adrodd rhai o'i straeon am gymeriadau eraill y daeth ar eu traws yn ystod ei oes.

Dafydd Coed Ucha

Dafydd Richard Owen oedd enw llawn Dafydd Coed Ucha. Roedd yn byw ar y fferm agosaf at y Parch. John Alun Roberts pan yn blentyn yn Llanllechid. Dyma ddwy o'i straeon:-

Roedd Dafydd wedi bod yng Nghanada am gyfnod ac wrthi'n disgrifio rhyw rasus ceir yno rhwng y Canadians a'r Iancis. Gan fod y Canadians eisiau i'w ceir fynd yn gyflymach na cheir yr Iancis roeddynt wedi gosod adenydd ar y ceir (fel sydd ar y ceir rasio heddiw mae'n debyg). Golygai hyn fod ceir y Canadians yn gallu mynd yn llawer cyflymach na rhai'r Iancis.

Roedd Dafydd yn gwylio ras efo rhyw Wyddel a dyma hwnnw'n ymestyn ei gorn gwddw ormod ymlaen. Dyma Dafydd yn dweud wrtho:

"You are mystyn your corn gwddw too far, Paddy."

"Mind your own business," meddai hwnnw wrth Dafydd.

"A wyddoch chi be," meddai Dafydd, "roedd o wedi mystyn ei gorn gwddw mor bell, dyma un o'r ceir 'ma'n dŵad a dyma un o'r wings yn hitio'i ben o'n glir i ffwrdd. Mi ddigwyddodd y peth mor sydyn, ffeindiodd o ddim nes oedd o'n rhoi jou baco yn ei geg!"

* * *

Roedd o wedi mynd i'r *Royal Infirmary* yn Lerpwl i gael llawdriniaeth feddygol gan fod enw da am y driniaeth yn yr ysbyty honno. Cael tynnu ei bendics oedd y driniaeth. Dyma fo'n deffro y bore wedyn a'i wddw fo yn fandages i gyd.

Dyma'r arbenigwr yn dod yno ac yn gofyn sut oedd o'n teimlo.

"Dwi'n eitha wir, o feddwl 'mod i 'di cael operashion fawr ddoe. Ond deudwch i mi, pam mae'r holl fandages ar fy ngwddw?"

"O, mi dduda i wrthoch chi. Pan o'n i'n operatio arnoch chi ddoe, roedd 'na ddeg ar hugain o stiwdants i mewn, a wyddoch chi be 'nes i? 'Ych agor chi, tynnu pendics, a'ch gwnïo chi'n ôl mewn tri munud. A dyma nhw'n rhoi bonllef o gymeradwyaeth a dyma fi'n tynnu'ch tonsils chi fel encôr!"

Ifan y Cŵn

Cymeriad o Abergele oedd hwn. Gan fod cysylltiad teuluol rhwng teulu Coed Isa a theulu yn ardal Moelfre, Abergele, byddai John Alun Roberts yn treulio llawer o amser yno ac fe ddaeth ar draws straeon am y cymeriad hwn.

* * *

Un tro, ar adeg codi tatws, roedd rhywun wedi dweud ei fod wedi cael tatws digon sâl. Dyma Ifan yn dweud ei fod wedi cael tatws da, ei fod wedi plannu math o datws a elwir yn Syr John Llywelyn. Cafodd ei rybuddio i adael dwy lath rhwng bob tysan ac mi gafodd datws mor fawr nes y bu'n rhaid eu torri yn eu hanner i fynd i'r ferfa.

Byddai'n ffureta llawer iawn. Un tro, roedd yn ffureta yn rhywle ac fe ddaliai gwningen fach bob munud. Dyma fo'n dal y gwningen fach yn y rhwyd a sgwennu nodyn, a'i roi o'n sownd ar y gwningen, yn rhoi gwahoddiad i'r fam a'r tad a'r teulu i gyd i ddod allan. Dyma fo'n gyrru'r gwningen fach yn ôl i'r twll ac ymhen sbel, dyma hi allan — a chant o gwningod efo hi. "Mae'n amlwg," medda fo, "fod cwningod yn gallu darllen Cymraeg yn iawn!"

* * *

Roedd wedi mynd i ffureta i fferm ym Metws-yn-Rhos a dyma gwningen i'r rhwyd. Dyma hi'n dianc, y milgi ar ei hôl a'i dal hi. Wedyn, dyma fo'n rhoi plwc i'r pen a'r clustia a'r coesau, a'i gadael hi ar lawr. Dyma'r hen gwningen â sbonc wedyn, doedd o ddim wedi ei lladd hi'n iawn. Felly, beth wnaeth o ond plethu un goes drwy'r llall (ei 'legio' hi), ond i ffwrdd â hi eto a'r milgi ar ei hôl. Methodd y milgi â'i dal y tro yma ac fe aeth y gwningen ar ei phen i'r twll a dyna'r tro olaf iddo'i gweld hi.

Ymhen blwyddyn, roedd yn ffureta yn yr un lle unwaith eto. Gosododd y rhwydi a gyrru'r ffuret i mewn. Dyma chwech o gwningod bach allan i'r rhwyd a phob un a'u coesau wedi eu 'legio'!

* * *

Arferai fynd o gwmpas i chwynnu swêds ac nid oedd neb yn gallu chwynnu mor gyflym ag ef. Roedd wal gerrig o gwmpas y cae ar un fferm. Fe âi yntau ar hyd y rhes mor gyflym, nes yr oedd o'n trawo ei ben yn y wal, yn methu â'i weld. Bu'n rhaid iddo osod dwy sachaid o beisgwyn ym mhob pen i'r rhes rhag ofn iddo daro'i ben yn y wal. Fe allai, meddai ef, chwynnu tua phum rhes ar hugain tra oedd pawb arall yn chwynnu un.

* * *

Roedd wedi bod yn gweithio ar fferm ym Moelfre ac yn dod i lawr i Abergele ar gefn beic, yn dod i lawr allt fawr a elwir yn Allt y

Faerdre. Dyma olwyn beic yn ei basio fo ar yr allt a dyma fo'n dal i ddod i lawr. Erbyn cyrraedd Abergele, roedd yr olwyn wedi cyrraedd o'i flaen ac yn y fan honno y sylweddolodd mai'r olwyn ôl oddi ar ei feic ei hun oedd hi.

★　★　★

Un diwrnod, mi ddaliodd o gannoedd o gwningod. Dyma fo'n edrych ar y gwningen gyntaf yr oedd o wedi ei dal ac yn dweud:
"Wel, mae'n biti dy ladd di."
Penderfynodd fynd â'r cwningod i gyd adref yn fyw. Dyma fo'n mynd at ffermwr a gofyn am goil o gortyn beindar. Rhwymo pob un gwningen ac wedyn rhoi dolen am wddf pob un. Roedd yna res hir, tua hanner milltir o ffordd. Bachod y cortyn ar y beic a reidio i lawr o Fetws-yn-Rhos, a rhes gwningod fel cnebrwng ar ei ôl. Mi cadwodd nhw'n ffres a'u lladd fel roedd galw am fwyd.

Y Gweinidog

Fe fu'r cymeriad nesaf yma yn weinidog yn Ninas Mawddwy ac yn rhyfedd iawn, dim ond am y cyfnod y bu yn Ninas Mawddwy y byddai'n adrodd straeon fel y tair nesaf:
Roedd wedi codi sgwarnog tua Mallwyd. Dyma fo'n tynnu ei sgidia a'i sanna a rhedeg yn droednoeth ar ei hôl. Roedd y sgwarnog yn rhedeg a'r gweinidog yn rhedeg ar ei hôl. O'r diwedd, wedi ras o gryn bellter, dyma'r sgwarnog yn stopio ar ochr y ffordd wedi blino'n lân ac mi gododd y gweinidog hi i fyny, ei lladd a mynd â hi adref.

★　★　★

Stori arall amdano yw hon. Yn ôl ei dystiolaeth ef ei hun, doedd o erioed wedi gweld moto-beic yn ei fywyd. Un diwrnod, roedd yna wraig yn sâl yn y pentref, a dyma fo'n dod allan o'i thŷ ar frys. Beth oedd yno y tu allan i'r tŷ, ond moto-beic newydd sbon. Dyma fo yn rhoi naid ar gefn y moto-beic a dyma hwnnw'n cychwyn. Fyny'r Bwlch â fo ac i Ddolgellau. Yno, aeth i weld y doctor a dweud fod gwraig yn wael yn Dinas. Mi gafodd ffisig gan y doctor a dyma'r gweinidog yn troi'n ôl am Ddinas Mawddwy. Wrth fynd i lawr Bwlch yr Oerddrws, mi welodd fuwch fawr goch ar draws y ffordd. Wydda fo ddim sut i stopio'r moto-beic felly dyma fo'n cau ei ddau lygad yn sownd a gadael i'r moto-beic fynd o dan fol y fuwch ac yntau'n rhoi naid dros gefn y fuwch ac ar gefn y moto-beic yr ochr arall. Mi gyrhaeddodd o Dinas Mawddwy yn saff wedi gwneud y siwrne o ugain milltir yn ogystal â gweld y doctor — mewn chwarter awr!

* * *

Un tro, aeth i lawr i Aberangell, a hithau'n boeth yn yr haf. Dyma benderfynu mynd i ymdrochi yn yr afon. Tynnodd ei ddillad i gyd i ffwrdd ac aeth i'r afon yn hollol noeth. Ar ôl bod i mewn am dipyn, dyma ddod am y lan ond mi welodd chwech o ferched yn dod i fyny'r afon. Mi fuodd o dan y dŵr am hanner awr heb anadlu a phan edrychodd i fyny, roeddynt wedi mynd. Mi welodd ddau samon ac mi ddaeth o i fyny yr ochr arall i'r afon gyda samon dan bob cesail!

John Pritchard (Siôn Ceryn Bach)

Mae straeon y gŵr rhyfedd hwn bron yn ddieithriad wedi eu codi o atgofion y Parchedig John Alun Roberts. Gall eu hadrodd yn gywir ac yn union yr un fath bob tro, sydd yn profi pa mor fyw yw'r straeon iddo, ac mae wedi parhau felly drwy gydol ei bedwar ugain mlynedd.

Yn Nhregarth y trigai John Pritchard, neu Siôn Ceryn Bach. Byddai'n traethu am bethau a digwyddiadau na fedrai neb arall eu gwrthbrofi. Yn ôl pob tystiolaeth, roedd ganddo ddychymyg byw iawn, yn wir fe gredai'r Dr E. Tegla Davies (pan oedd yn weinidog Wesla yn Nhregarth) mai John P. oedd y dyn efo'r dychymyg mwyaf a welodd o erioed. Roedd hi'n anhygoel meddwl sut y gallai John P. greu stori ar y funud honno. Gallai weld sefyllfa a'i chwyddo i'w gwneud yn llawer iawn mwy.

Mae gan y Parch. John Alun Roberts gof plentyn ohono gan y byddai'n galw yn aml yn ei gartref ac fe allai ei dad dynnu'r straeon ohono. Roedd pawb yn ei amau a neb yn coelio'r un gair roedd o'n ei ddweud, ond byddai pawb yn gwrando arno am ei fod yn adrodd y straeon mor fyw ac mor ddifyr. Byddai'n dweud stori yn union yr un fath bob tro, dim amrywiaeth ynddi, gair am air yr un fath. Mae'n rhaid, felly, ei fod yn credu eu bod yn wir — nid oedd yn hawdd cofio'r holl fanylion bob tro os nad oedd yn eu credu.

Fe fyddai John P. yn hoff o gynulleidfa ac ni fyddai neb yn meiddio ei gywiro fo gan y byddent yn derbyn mai celwyddau oeddynt. Fe gâi ei blesio'n arw wrth i bobl ofyn iddo adrodd ei hanes yn 'Merica ac mi fyddai'n ymateb yn syth.

Ar y llaw arall, dyn difrifol iawn oedd o — nid oedd unrhyw hiwmor yn perthyn iddo — byddai'n cymryd pob dim yn ddifrifol. Eu 'deud nhw' oedd o am y rheswm syml na fedrai beidio â'u dweud.

Yn ei gyfrol *Atgofion Hanner Canrif*, mae Huw Davies yn dweud mai John P. oedd lladdwr a thorrwr mochyn swyddogol y cylch ac mae'n ei ddisgrifio fel 'dyn bychan, chwim ei gerddediad, ei wyneb main yn rhychiog a phantiog, a'i fwstas brith yn ymestyn yn hirfain ymhell i ganol ei fochau'. Mae'n adrodd ei hanes yn sefyll gyda'i nain wrth lidiart yr ardd ryw fore a John Pritchard yn dod i lawr y pentre. Ac meddai'r hen wraig,

"Mae John Pritchard wedi bod wrthi'n gweithio'n galed ben bore yn rhywle ylwch."

"Ydw, Jane Davies," meddai John ar drawiad, "wedi lladd a thrin deunaw o foch yn barod heddiw, a phump ar hugain o foch eto yn ei haros hi."

Mae'r Parch. John Alun Roberts yn ei gofio fel dyn byr, ysgafn gyda mwstas mawr, trowsus go lew o olau, sborts-côt, het ar ochr ei ben a phwt o ffon yn ei law — rhyw gymysgedd o dramp a gŵr bonheddig.

Caiff ei straeon eu hadrodd yn ardal Bethesda hyd heddiw ac fe gyfeirir at gelwydd go fawr fel 'stori John P.'.

Dyma, felly, gasgliad o straeon y gŵr rhyfedd hwn.

Roedd 'na feddyg ym Methesda, dyn mawr o gorff a John P. yn fach — yn hollol wahanol iddo. Gan fod trowsus John P. mor sâl, mi roddodd gwraig y meddyg hen drowsus ei gŵr iddo, "ac mi o'dd o'n 'i ffitio fo i'r dim oni bai fod o'n dynn rownd ei fol."

★ ★ ★

Pan aeth i 'Merica roedd am 'weithio ei bas' ar y cwch. Ond nid felly y bu hi yn ôl stori John P.

"Pan es i stesion Bangor, roedd 'na *carriage and pair* i fynd â fi i Gaer. Cyrraedd Caer, *carriage and pair* yn mynd â fi i Gloucester. Cyrraedd Gloucester, *carriage and pair* i Southampton." Cyrraedd Southampton a gofyn i'r capten a gâi weithio ei bas i 'Merica. "O'n i'n mynd i fyny'r gangwe efo'r gweithwyr ac mi welais i ddau ddyn a dwy ddynes ar gangwe'r *First Class* — y *British Ambassador* a'i wraig yn mynd i 'Merica a'r *Prince of Wales* a'i wraig wedi dod i ffarwelio â nhw." Dyma'r *British Ambassador* yn gweld John P. ac yn gweiddi "come here" arno. Hwnnw'n mynd.

"What is your name?"

"John Pritchard, from Tregarth, Bangor, North Wales," atebodd.

"Where are you going?"

"To 'Merica like you, sir," atebodd.

"Come with me," meddai'r *British Ambassador* a bu John P. yn teithio yn y *First Class* gydag ef a'i wraig. John P. oedd partner y *British Ambassador* yn y gêmau ar fwrdd y llong.

Dyma gyrraedd 'Merica o dan y *Statue of Liberty*, "clamp o ddynas fawr efo lamp yn ei llaw."

Wedi cyrraedd, dyma'r *British Ambassador* yn dweud wrth John P.:-

"Mr Pritchard, you will have to come with me to Washington where I will be presenting my credentials to the President of America and you are to be there."

"A dyma fi'n mynd."

John P. yn disgrifio'r wledd yn Washington.

"Thirteen course dinner. Roedd y byrddau mor llydan, 'toedd gen ti ddim syniad ynteu dyn 'ta dynes oedd yn eistedd yr ochr arall i'r bwrdd. Tasat ti'n cymryd sbeinglas ac edrych o un pen i'r bwrdd i'r llall fyddai gennyt ddim syniad beth oedd yno."

Dyma John P. yn edrych yn ddifrifol, ac yn cau ei ddau lygad ac oeddach chi'n gwybod bod 'na glamp o glwydda'n dod allan:-

"Wyddost ti, roedd y byrddau mor fawr, efo trol a mul yr oeddan nhw'n mynd â mwstard rownd."

★ ★ ★

Roedd y Parch. John Alun Roberts yn dod o gnebrwng yn Llanllechid un tro, yng nghwmni ei dad, a John P.

"Cnebrwng mawr, Siôn," meddai ei dad.

"Dim byd i gnebryngau 'Merica. O'dd 'na rhyw senator wedi marw yn Philadelphia," medda fo, "ac mi ofynnwyd inni fel Cymry fynd i'r cnebrwng. A ti'n gweld, fi oedd President Cymry 'Merica i gyd tra buo fi yno. Ni oedd y pedwar diwetha i gerdded yn y cnebrwng. Dyna ti gnebrwng mawr. Wyddost ti be, oedd o mor fawr, pan naethon ni gyrraedd giât y fynwent roedd y creadur wedi ei gladdu ers tair wythnos."

Un tro, pan yn y 'Merica, roedd John P. wedi mynd i aredig. Andros o gaeau mawr oedd yno yn ôl ei stori. Rhoi'r arad yn y pridd fore Llun a ddim yn dod i ben draw'r cae tan tua tri o'r gloch brynhawn Gwener. Roedd deugain o weddi (wyth deg o geffylau) wrth ochor ei gilydd yn tynnu'r arad. Pan aeth i'r cae, mi ddechreuodd fwrw eira ac wedyn cenllysg. Cenllysg mawr sy'n 'Merica, yn dod i lawr fath â wyau chwiaid! Cyn pen deg munud roedd y cae wedi ei orchuddio, cyn pen chwarter awr doedd dim wal yn y golwg. Dyma ddadfachu gwedd (dau geffyl) a dal i fynd. Doedd dim hanes o dŷ yn unlle. Gwelodd bigyn haearn hir yn ymestyn o'r ddaear a dyma fo'n rhwymo'r wedd wrth y pigyn haearn. Gwelodd atic rhyw dŷ yn agored a dyma fo i fewn drwy ffenest yr atic ac i lawr y grisiau. Bu'n cerdded i lawr y grisiau am ugain munud nes y daeth i seler yn y gwaelod, ac yno y bu am bythefnos yn disgwyl iddi hi feirioli. Pan ddaeth y meiriol, afonydd mawr yn llenwi'r strydoedd. Roedd yna longau wyth mil o dunelli yn gallu dod i fyny'r strydoedd i ddrysau'r siopau ac mi gliriodd yr eira i gyd.

Dyma fo allan i chwilio am y ddau geffyl ond nid oedd hanes ohonynt yn unman. Digwyddodd edrych i fyny a beth welodd o ond y ddau geffyl yn hongian wrth big yr eglwys. Pig ar dŵr yr eglwys oedd y pigyn haearn hir yn yr eira!

★ ★ ★

Ni fedrai John P. ddioddef rhywun oedd yn gallu dweud stori yn well nag o. Bu'n dadlau gyda'r Iancis am y lle poethaf yn y byd. Dyma'r Ianci 'ma'n dweud wrtho fod yna le yng Nghalifffornia a hwnnw oedd y lle poetha'n y byd.

"Beth am yr *equator* yn Affrica?" meddai John P.

"O dim byd i'r lle 'ma yng Nghaliffornia," meddai'r Ianci. "Mae mor boeth yno ym mis Awst nes fod y moch yn toddi yn eu cytiau. Mae'n rhaid gosod sachau dros y cytiau ne fe fyddai'r moch yn mynd allan fel saim o dan y drysau."

"Bobol, 'di hynny'n ddim i gymharu efo Tregarth ar bnawn dydd Llun Sulgwyn," meddai John P. "Mae mor boeth yn

Tregarth ar bnawn Llun Sulgwyn, 'dan ni'n rhoi eis crîm i'r ieir rhag iddyn nhw ddodwy wyau wedi berwi."

★ ★ ★

Dro arall fe ddywedodd Ianci wrtho fod y Rocky Mountains yn uwch na'r Wyddfa.

"Bobol annwyl nac ydyn," meddai John P.

"Wel, dydi'r eira byth yn clirio oddi ar y Rocky Mountains," meddai'r Ianci.

"Bobol annwyl, tasach chi'n digwydd bod ar ben yr Wyddfa a'r lleuad yn llawn, a bowler hat gennych, mi fyddai'n rhaid i chi dynnu'ch het er mwyn i'r lleuad allu pasio."

★ ★ ★

Roedd Richard Owen, Coed Ucha wedi cael rowler ac yn digwydd sôn amdano yng ngŵydd John P. Y funud y gwelodd John P. y rowlar dyma fo'n sôn am rowlar a welodd yn 'Merica. Roedd honno'n un anfarwol. Deugain o geffylau yn ei thynnu.

"Roedd hi mor ddychrynllyd o drwm," meddai John P., "wedi iddi fynd ar draws cae byddai'r tyrchod yn dod i fyny yn y dalar bob ochor iddi."

★ ★ ★

Rhyw dro arall pan oedd yn 'Merica gwelodd *leg o' ham* ar bolyn, a sebon wedi ei roi ar hyd y polyn o'r top i'r gwaelod fel bod neb yn gallu dringo'r polyn. Mi fagiodd John P. i ben draw'r cae a'i chymryd hi "ffwl sbîd" gan lithro i ben y polyn a dal yr ham yn ei geg. Neidiodd i fyny i'r awyr, codi'r polyn o'r ddaear a'i roi yn ei ôl wedyn, a lluchio'r ham i lawr a sglefrio i lawr y polyn.

★ ★ ★

Dywedodd rhywun fod un o fanciau Bethesda wedi cael sêff newydd.

"Dwi'n cofio," meddai John P., "nhw'n rhoi sêff mewn banc yn New York, fachgan, anferth o sêff fawr. Ond y sêff fwya welis i erioed oedd sêff mewn sŵ yng Nghaliffornia. Roedd 'na lew yn y sŵ oedd yn dianc o bob man a dyma nhw'n penderfynu y basan nhw'n ei roi o mewn sêff fawr ac fe'i rhoddwyd o yn y sêff hon.

"Y noson honno, aeth y sŵ ar dân a'r llew yn y sêff. Bore wedyn, dyma agor y sêff gan feddwl y basa'r llew wedi crasu."

"Ac mi oedd y llew yn fyw?"

"Oedd, fachgan, ac nid yn unig yn fyw ond wedi rhewi!"

★   ★   ★

Agorwyd popty newydd yn Nhregarth ac wrth drafod hynny dyma John P. yn sôn am bopty yn 'Merica.

"Mi fûm innau'n gweithio mewn popty hefyd, yng Nghaliffornia. Anferth o bopty mawr — roedd 'na dair mil ohonom yn gweithio yn y popty. Roedd 'na bedair o loris mawr yn cario burum i'r popty 'ma, yn cario dim ond burum.

"Roedd hi mor ddychrynllyd o boeth yno, doedd gen ti ddim ond het panama ar dy ben a sgidia hoelion mawr ar dy draed. Roedd y popty mor bell, efo berfa oeddan ni'n cario'r toes i'r pen draw. Erbyn cyrraedd y pen draw, a hithau mor boeth yno, roedd yr het panama wedi llosgi, dim ond hoelion y sgidia'n sbâr a dim ond ychydig o lorpia'r ferfa yn aros yn dy law."

★   ★   ★

Pan oedd yn weinidog yn Nhregarth, roedd Tegla Davies yn adnabod John P. yn iawn.

Un tro, ac yntau wedi mynd allan am dro i'r stryd, pwy welodd ond John P. a hwnnw'n magu plentyn i rywun — y wraig honno'n brysur a John P. yn rhoi sbel o fagu.

"Sut 'dach chi, mistar Defis?"

"Da iawn, John Pritchard. Sut dach chi?"

"Wel da iawn, wir. Dwi'n cofio pan oeddwn i'n y 'Merica. O'n i'n dreifio trên."

"Peidiwch â dweud celwydd, gweithio mewn chwarel oeddach chi."

"Nage wir, mi fûm yn dreifio trên am flynyddoedd. Ac mi o'n i'n dreifio trên ar draws y *prairie*."

"Gwrandwch, yn Canada mae'r *prairies*."

"Mae 'na *brairies* yn 'Merica hefyd, ac o'n i'n dreifio trên ar draws y *prairie*, a'r trên yn trafeilio thyrti sefn thowsand meils an owyr, ac mi oedd hi'n bnawn heulog, poeth. Dyma ni'n cyrraedd stesion, ac mewn ugian munud aeth y stesion yn berffaith dywyll."

"Be oedd wedi digwydd?" holodd Tegla Davies.

"Adeg honno ddaru cysgod y trên gyrraedd yno."

* * *

Un tro, lledodd stori o gwmpas yr ardal am bysgodyn mawr yn Llyn Padarn, Llanberis. Yn ôl y stori, roedd 'na ddyn wedi ei ddal o, ac mi aeth wyneb y llyn i lawr ddwy droedfedd. Ond nid oedd hynny'n ddim o'i gymharu â champ taid John P. Roedd hwnnw wedi dal dau samon yn afon Ogwen, medda fo, ac wedi iddo godi'r ddau samon, mi fu afon Ogwen yn sych am ddau ddiwrnod.

* * *

Un prynhawn, roedd John P. yn sefyll yn Sling, Tregarth a dyma ddynes yn dod ato.

"Helo Jên," medda fo, "dwi ddim 'di dy weld ti ers talwm iawn."

"Naddo," meddai hithau, "dwi 'di bod yn yr hospital yn cael opereshion."

"Duw, wyddwn i ddim dy fod wedi cael hopereshion," meddai John P.

"Do 'tad," meddai.

"Pwy ddaru hoperatio arnat ti?" holodd.

"Doctor Thomas," atebodd hithau.

"Tasat ti wedi dod yma, mi fuaswn i wedi hoperatio arnat ti," meddai John P. "*Surgeon* mewn hospital fawr yn 'Merica oeddwn i am flynyddoedd." (Mae'n debyg na fu yn 'Merica ond am ryw ddeuddeng mis.)

"Y fi ddaru hoperatio ar Mam," medda fo.

"Wyddwn i ddim fod dy fam wedi cael opereshion," meddai hithau.

"Do 'tad," meddai yntau. "Roedd hi'n cwyno ac yn tuchan ac yn swnian yn fa'ma ryw nos Sadwrn a dyma fi'n deud wrthi am orwedd ar y bwrdd. Mi ffeindis i fod pendics arni ac mi dynnis fy nghyllell boced allan a dyma fi'n ei hagor hi ac edrych ar y wats. Roedd hi'n chwarter i saith. Dyma fi'n tynnu'r pendics allan a'i luchio fo i'r tân, a dyma fi'n ei gwnïo hi fyny'n ôl, a wsti be, ugian munud wedi naw roedd hi'n ffrio sosejis imi."

★ ★ ★

Roedd 'na griw yn sefyll ar bont stesion, a dyma un o'r hogia'n dweud:

"Mae hi'n debyg i derfysg. Byddai'n well inni fynd adra cyn iddi droi'n law."

A dyma John P. yn dweud:

"Welsoch chi rioed storm! Yn 'Merica, roedd gan y mellt facha i gydio ynoch a'ch cipio i ffwrdd!"

★ ★ ★

Adroddodd ei hanes yn teithio mewn trên yn 'Merica — mewn cerbyd *First Class*, wrth gwrs. Roedd John P. yn smociwr cetyn mawr, a chan fod cannoedd lawer o filltiroedd rhwng un stesion a'r llall yn y 'Merica, rhaid oedd smocio fel injian i ladd amser. Ond daeth teithiwr arall i'r cerbyd mewn un stesion gyda'r ci bach dela welwyd erioed — wel, roedd o'n beth del ac yn edrych yn gall dros ben. Ond wedi i'r trên ailgychwyn, dyna'r dyn diarth yn dechrau dwrdio'n arw am fod John P. yn smocio mewn cerbyd lle y gwaherddid hynny. Ac erbyn edrych, fe welai John P. fod y dyn yn hollol iawn. Roedd yno rybudd yn dweud yn blaen ddigon *No smoking allowed* ar ffenest un ochr i'r cerbyd. Ond o edrych ar ffenest ochr arall y cerbyd fe welai John P. rybudd *No dogs allowed*, a brysiodd i alw sylw'r dyn diarth at hynny. Ond dal i ffraeo a wnâi hwnnw, a thoc dyna fo'n codi ar ei draed, yn agor y ffenest, a chipio cetyn John P. o'i geg a'i daflu allan drwy'r ffenest agored. Ar hynny dyna John P. yn gwylltio a chipiodd yntau'r ci oddi ar lin ei feistr ffraellyd a'i daflu allan drwy'r ffenest agored. "Choeliwch chi ddim efallai," meddai John P., "ond pan stopiodd y trên yn y stesion nesaf — ugeiniau o filltiroedd i ffwrdd — roedd yr hen gi bach yn eistedd yn ddel ar y platfform a'm cetyn yn ei geg."

★ ★ ★

Roedd o'n gweithio ar fferm yn 'Merica. Roedd y cabaits mor fawr, o'dd gwarthaig, pan fyddai'n bwrw, yn mochal o danyn nhw.

★ ★ ★

John P. yn disgrifio cnydau tatws yn 'Merica. Y tatws wedi eu plannu ar lechwedd serth.

"Cae mor syth hefyd yn y 'Merica, pan fyddan nhw'n codi tatws yno, dim ond crafu twll yng ngwaelod y rhes oeddan nhw a rhoi'r bwcad fel hyn, mi oedd y cae yma mor syth nes oedd y tatws yn rowlio i lawr 'te. A 'mond rhoid nhw yn y sach, 'te. Toeddan nhw ddim yn mynd i drafferth i godi nhw hefo fforch run fath â ni, 'dach chi'n gweld," medda fo, "ddim yr un fath â fa'ma — mynd i drafferth hefo rhyw ffyrch i godi tatws. Roedd yr allt yn ddigon syth ar y cae, wedyn pan oedd hi'n amser codi'r tatws, dim ond crafu gwaelod y rhes oedd eisiau a rhoi bwcad neu sach yn fanno, mi roedd y tatws yn rowlio i lawr iddo fo. A dyna chi wedi gorffen mewn hanner yr amser fysach chi fel arall."

★ ★ ★

Gwaith arall y bu John P. yn ei wneud yn 'Merica oedd coedwigwr:

"O'n i'n fforester yno. Ac mi roedd hi'n cymryd tua mis i chi lifio drwy goeden. Argian, a coed yno, fel oeddan nhw'n gorfod torri tynal trwyddi os oeddan nhw'n gwneud lôn, i 'carriage and pair' fynd trwyddi. Ac mi roedd y bobol yn 'Merica dair gwaith cymint â bobol yma yn fa'ma, ia 'giants' oeddan nhw."

★ ★ ★

Byddai llawer yn cadw colomennod yn y pentref ac yn ôl stori John P., roedd yna un gŵr a hogyn ganddo yn gweithio yn St. Helens.

"Ac mi yrrodd yr hogyn ddau bâr i'w dad i Tanrhiw Road a siarsio iddo fo eu cadw nhw tan nes byddan nhw wedi cymharu i gael cywion, er mwyn iddynt aros yn Nhregarth. Felly y buo hi. Wedi dipyn o amser, mi flinwyd ar eu cadw, felly dyma nhw'n eu gollwng nhw. A chyn eu gollwng, a rhag ofn iddyn nhw fflio i ffwrdd dyma fo'n torri eu hadenydd fel na fedren nhw fflio. Mi ddaeth 'na lythyr 'pen pythefnos oddi wrth yr hogyn o St. Helens. Roedd y colomennod wedi cyrraedd St. Helens, wedi cerddad bob cam."

★ ★ ★

Cafodd John P. ei wahodd i ladd mochyn i lawr yn ymyl Llandegai, at ryw hen wraig yno. Wedi lladd y mochyn, ei grafu, a'i dorri a'i lanhau, dyma fo'n troi at yr hen wraig ac yn dweud:

"Wch chi be, dyma'r mochyn cynta i mi ladd erioed, a dim calon gynno fo."

"Tewch, John Pritchard," meddai'r wraig "ond mi o'dd o'n rhyw hen fochyn digalon; mi ges faich ofnadwy i'w besgi o."

★ ★ ★

Soniwyd eisoes am gymharu uchder mynyddoedd 'Merica a'r Wyddfa, ond roedd ganddo stori arall gyda'r mesur o uchder rywbeth yn debyg:

"Pan o'n i'n 'Merica, roeddwn i'n gweithio ar ffarm yno, a llwythi mor uchal o wair, dyma'r lleuad yn dŵad a hitio'r het i ffwrdd oddi ar fy mhen."

★ ★ ★

"Oedd yna niwl mawr yno hefyd?" holodd rhywun am 'Merica.
"Oedd," meddai John P.
"Beth oedd y niwl yma?"
"Roedd o mor dew, oeddach chi'n medru rhoi eich ambarel yn y niwl a hongian het arno fo — ar y bagal. Roedd y niwl mor dew."

★ ★ ★

"Mewn un lle yn 'Merica," meddai John P., "roedd 'na ryw hen fachgan a locsyn ganddo fo, ac wedi meddwi 'chi, a hithau'n dywydd oer. Mi syrthiodd ac mi aeth i gysgu ar y lôn. Roedd yn rhaid i ddynion cownsul ddŵad yno am ddau ddiwrnod i geibio'r lôn i gael ei locsyn o'n rhydd. Hwnnw wedi rhewi yn solat. Ac mi fydda yno luwch eira mawr iawn yno hefyd, lluwch eira yn fanno — doedd Carnedd Dafydd a Charnedd Llywelyn yn ddim byd iddo fo. Yn un toman fel'na. Ia — a pobol, ti'n gweld, yn byw odano fo."

★ ★ ★

Gwnaeth John P. sbelan yng ngwaith llwch chwarel Pant y Draeniog ym Methesda. Un noson, dyma fo'n estyn tysan i bob un o'r hogia:
"Ylwch hogia," medda fo, "mae gen i eisiau i chi fynd â'r rhain adref. A triwch gael cyfle pan fydd neb yn edrych i'w rhoi nhw yn y sosban datws. Edrych ffeindith rhywun ryw wahaniaeth rhwng y dysan yma a'r tatws eraill sydd yn y sosban."
"O, pam?" meddai un o'r hogiau. "Beth sy'n wahanol yn y dysan yma?"

John Pritchard
(Llun trwy law y Parch John Alun Roberts, Abergele)

"O," medda fo, "tatws 'dan ni'n eu gwneud efo'r llwch yn Pant Draeniog ydi rhain."

"Bobol annwyl."

"Ia'n tad," medda fo, "o lwch llechi maen nhw wedi gwneud y tatws."

Straeon Eirwyn Pontshân

Yn ystod Eisteddfodau'r chwedegau a'r saithdegau, byddai criw yn casglu o gwmpas y saer o Dalgarreg mewn tŷ tafarn neu babell i wrando arno yn adrodd straeon a phenillion yn un o arferion yr wythnos eisteddfodol. Mae gan Eirwyn Pontshân ddawn y cyfarwydd a'i ddull dihafal o adrodd straeon yn hoelio sylw ei gynulleidfa am gyfnodau hirion. Ymysg ei straeon yr oedd llawer iawn o straeon celwydd golau, ond fe fu'n rhaid imi fynd i'w ddwy gyfrol "Hyfryd Iawn" a "Twyll dyn" i'w cael air am air, gan na fyddai ond rhyw frith gof ohonynt yn aros wedi gwrando arno'n eu hadrodd mewn tafarn.

Dyma felly, enghreifftiau o straeon y dyn bach a'i gap gwyn a'i fwstash.

Wi'n cofio un cymeriad yn sôn am dro rhyfedd iawn gafodd e. O'dd e wedi mynd i Lawaden i brynu moto beic. Fe brynodd e un, ac ar y ffordd nôl adre, yng Nghlunderwen, mi welodd e dyrfa o bobol yn y cae fan'ny. A'th e mewn i'r cae, a beth o'dd mlân ond rasus ceffyle. Ac o'dd ras ar gychwyn, ac o'n nhw'n brin o joci. O'dd rhywbeth wedi digwydd i'r joci o'dd fod reido'r poni bach 'ma. Wel fe welodd y dyn o'dd yng ngofal y ras ddefnydd joci yn y cymeriad 'ma, ac fe ofynnodd e iddo fe reido'r poni bach 'ma. Fuodd e eriod ar gefen poni o'r blân, ond meddyliodd e y galle fe reido'r poni bach hyn, oherwydd o'dd e'n un boliog iawn. O'dd bola mawr 'da'r poni bach: o'dd e'n edrych yn rhy stiff ac yn rhy dew i fynd yn gyflym iawn, a dyma'r boi 'ma ar gefen y poni. Ergyd y gwn, a dyma'r poni bach yn carlamu mas ar y blân. Edrychodd y boi nôl: o'dd y ponis erill nôl fan draw rhwle. A'th e o amgylch y cae un waith, ddwywaith, a'r trydydd tro rownd y cwrs, mi welodd e'r *winning-post* fan draw. Ma'r poni bach yn mynd i ennill, meddyliodd e. O'dd e'n gwneud campwaith. O'dd e wedi colli gafel yn yr awenne, ac yn dal yn sownd wrth y mwng. Ond cyn 'i fod e'n bennu meddwl yn iawn, dyma'r poni bach a'i dîn dros 'i ben. Daeth 'na ebol bach. Cododd ar 'i drad. A'th y poni mewn yng nghynta, yr ebol bach yn ail, a'r boi i fewn yn drydydd. A dyna fe wedi ennill arian go lew am y dydd yntefe.

* * *

Dyma stori glywes i am ryw gyfaill o'dd wedi mynd mas i Affrica. Wedi crwydro tipyn o Affrica, dyma rhyw lewes yn dod ar 'i draws e — llewes fowr gynddeiriog. Ac o'dd hi am 'i waed e. A meddyliodd y cyfell, Ma'n rhaid i fi roi trâd yn y tir, a dyma fe'n rhedeg am 'i fywyd, a'r llewes 'ma'n dynn am 'i sodle fe. A beth ddaeth y cyfell ar 'i draws e, ond stwmpyn coeden. A dyma fe'n mynd lan i ben y goeden 'ma, a phan gyrhaeddodd e'r top, fe welodd fod y pren yn gau — fod 'na dwll ynddo fe. A meddyliodd e, Wel dyma le braf i fi guddio rhag yr hen lewes 'ma. A dyma fe lawr i'r gwaelod. Ond wedi cyrraedd gwaelod y bonyn pren, beth o'dd fan'ny ond tri llew bach. A chyn iddo fe ddechre meddwl,

108

dyma fe'n gweld y llewes yn edrych lawr arno fe o ben y bonyn. Wel dyma'i diwedd hi, medde fe.

Fe gofiodd yn ddisymwth fod y llewod yn perthyn i deulu'r cathod, ac o'dd e wedi sylwi fod pob cath, pan 'i bod hi'n dod lawr o ben pren, yn dod lawr a'i phenôl yn gynta. Disgynnodd y llewes, a dyma fe gyda'i ddwrn e fan'na, a rhoi ergyd i'r llewes yn 'i phenôl, nes bod yr hen lewes yn gwichal ac yn ochain. O'dd e wedi rhoi ergyd gas iddi: o'dd e wedi pinsho'r hen lewes. A dyma'r llewes yn rhedeg i ffwrdd oddi wrtho fe.

Wel dyna fe wedi achub 'i fywyd am y tro. O'dd e wedi dod mas o'r trwbwl 'na. A dyma fe nawr yn teimlo'n hapus iawn, ac yn teimlo fod bywyd yn werth 'i fyw. Ac wedi crwydro rhagor o anialwch Affrica, beth welodd e fan'ny ond haid o geffyle gwyllt. A dyma'r ceffyle gwyllt yn cal 'i ofan e, ac yn rhedeg i ffwrdd i gyd — ond un. Ro'dd y ceffyl gwyllt yma'n methu'n lân â symud. A'r hyn o'dd wedi digwydd iddo fe o'dd 'i fod e wedi torri asgwrn 'i gefen. Wel nawr, o'dd y boi 'ma wedi cal achub 'i fywyd, ac o'dd e'n meddwl mai peth doeth a pheth iawn yn enw cariad fydde trio gwneud tamed bach o ymgeledd i'r ceffyl gwyllt 'ma. A fe dorrodd e ryw bambw bant o ryw goed oedd yn ymyl. O'dd cyllell yn 'i boced e, ac fe dorrodd 'i blân hi bant, ac fe hwpodd y bambw 'ma i benôl y ceffyl. A dyma'r hen geffyl gwyllt nawr wedi cal 'i fendio. Teimlo o'r newydd gyda'r asgwrn cefen newydd. Ac o'dd y cyfaill yn teimlo'n hapus iawn hefyd am 'i fod e nawr wedi talu'n ôl yn ardderchog, ac wedi gwneud trugaredd gyda'r ceffyl gwyllt.

Wel fe gerddodd am filltiroedd, fe gerddodd am flynyddodd yn anialwch Affrica. Ac yn rhyfedd iawn, mewn rhyw dair blynedd, dath e'n ôl i'r un man yn gywir ag y gadawodd e'r ceffyl gwyllt. A hyn o'dd yn ddiflas yntefe. O'dd coeden fawr wedi tyfu mas o benôl y ceffyl, a'r ceffyl heb symud o'r fan. A dyna brofiad y cyfell yn Affrica yntefe. A rhyw bethe bach felna sy'n ein gogles ni fel 'tae.

* * *

Wel o'n i'n cal hwyl gyda'r cymeriade yn Nhre Cŵn. Mi fydde 'na ryw hen gymeriade tebyg i Ianto, fydde'n dod yn nes at ben 'i dalar.

Er iddo fe groesi'r trigen oed, a nesáu at oedran yr addewid, fe wedodd y *National Service Officer* wrtho fe am fynd i Dre Cŵn i weithio. A'r lle bydde Ianto'n hoffi bod — rhyw hen gymeriad felna o'dd e — fydde tua'r lle bwyd, lle bydde fe'n pilo esgyrn a chrafu'r ffwrn reis, a thrio cal y gore mas o waelodion y ffwrn.

Un bore, fe ddath Ianto ata i a dweud wrtho i fod gydag e waith arbennig iawn y dwarnod 'ny. O'dd codi'n fore i fod, oherwydd o'dd 'na llond lori fawr o sosejes yn cyrraedd. Daeth y lori tua wyth o'r gloch gyda rhyw wyth tunnell o sosejes. Meddyliwch am wyth tunnell o sosejes. Dyma dipo'r wyth tunnell 'ma yn nrws cefen y tŷ bwyd, a fanna buodd pawb am ddiwrnod cyfan yn gneud dim ond whilbero'r sosejes mewn i'r tŷ. Meddyliwch am y peth. O'dd rhaid cal lle fel Tre Cŵn cyn bod y fath olygfa yn bosibl. A welwn ni byth mo'r olygfa 'na eto. A rhyw ddigwyddiade bach felna sy'n dod nôl i gof dyn yntefe.

* * *

Ma' tamed bach o hiwmor yn ddefnyddiol iawn withe, hyd yn oed mewn busnes. Wi'n cofio arna i yn gwerthu rhyw hen fuwch unwaith — yr hen fuwch 'na druan o'dd gyda'r hen dwlc, y tŷ gieir, ar 'i chefen. A nawr o'dd rhaid mynd lawr i'r mart yn Llandysul i'w gwerthu hi. A'r hen fuwch druan — un cynnig o'dd arni, sef wyth bunt ar hugen. O'n i'n meddwl 'i fod e'n rhy fach, a 'ma fi'n codi lan nawr i roi gair bach o eglurhad. O'n i'n rhyfeddu atyn nhw, 'u bod nhw'n cynnig cyn lleied am y fuwch, oherwydd o'n i'n gweud 'tho nhw bod hen wraig mamgu newydd werthu milgi am dair mil o bunne. Mae'n wir 'i fod e'n un mowr — pan o'dd e'n gorwedd yn y catl-tryc, o'dd 'i ben e mas trwy'r top. A wyddech chi beth, ath y fuwch lan i bum punt a deugain. O'dd tamed bach o gelwydd a thamed bach o hiwmor yn ddigon i fywhau'r prynwyr.

* * *

Meddyliwch chi nawr am yr hen gi. Nawr mae e'n mynd ar 'i daith, a mae e'n whilibawan, a mae e'n codi'i gôs dros y wal cyn pisho yntefe. Wel nawr — pam myntech chi fod y ci yn codi'i gôs dros y wal. Wel hyn yw'r ffaith. Y ci cynta bishodd eriod dros y wal, y'ch chi'n gweld — 'chododd e mo'i gôs ar 'i thraws hi, a gwmpodd y wal ar 'i ben e. A byth ar ôl hynny, mae e'n codi'i gôs dros y wal i desto'r wal, i weld a odyw hi'n saff ac yn sown iddo fe bisho yn 'i herbyn hi.

— Rhywbeth arall glywes i'n Nhre Cŵn. Ha!

★ ★ ★

Wy'n cofio câl profiad rhyfedd iawn tra'n gorwedd yn y gwely unwaith. Ym mherfeddion nos dyma fi'n câl 'y nihuno gan sŵn canu yn dod o dan y gwely. Diawl, dyma fi'n codi i edrych, a wyddech chi beth odd 'na? Wel, whannen fach odd wedi cwmpo mewn i'r pot pisho, a dyna lle'r odd hi'n hongian wrth fatshen, ac yn canu nerth 'i phen,

"Yn y dyfroedd mawr a'r tonnau . . . "

★ ★ ★

Cofiwch, tristwch mowr yw mynd i'r môr a boddi. Ond tristwch mwy yw boddi yn ymyl y lan. Ma modd, fel ma'r hen ddihareb honno'n weud, croesi'r Gŵy a marw yng Nghonwy. Ac yn steddfod Pibwrlwyd flynyddoedd nôl, y ddihareb 'na odd testun yr areth ar y pryd.

Dyma hen ŵr bach lan i'r llwyfan ac yn adrodd yr hanes trist am Wili bach o Bontshân. Medde Wili bach wrth 'i fam un bore Llun,

"Mam," mynte fe, "wy'n mynd i Affrica."

"Wel, machgen bach i," mynte'r fam, yn bryderus, "ond dyna fe, os wyt ti'n benderfynol o fynd, cer di Wili bach."

A dyma Wili yn magu nerth, ac yn dal llong a hwylio am Affrica bell. Ar y ffordd fe welodd bethe rhyfedd yn y môr, morfilod mowr, a jeliffishis o bob lliw a llun. Ond fe gyrhaeddodd Affrica yn saff, a bant ag e ar draws y wlad fowr honno nes cyrradd yr afon Neil. Ond dodd 'na ddim pompren ar 'i thraws hi iddo fe groesi i'r ochor draw.

Yn yr afon rodd lot fowr o Hipo Bob Tomosis yn gorwedd, a dyma Wili bach yn camu ar ben un Hipo Bob Tomos, ac yn camu o ben hwnnw i ben Hipo Bob Tomos arall, a mlân ag e, o ben un Hipo Bob Tomos i'r llall nes cyrhaeddodd e'r ochor draw.

Ond wedi cyrradd yr ochor arall fe gododd hireth mowr ar Wili bach, hireth am weld 'i fam nôl ym Mhontshân. A'r unig ffordd nôl dros yr afon odd camu unweth 'to o un Hipo Bob Tomos i'r llall.

Fe groesodd yr afon yn ddiogel, a nôl ag e ar draws Affrica am y porthladd a'r llong, a hwylio'n ôl am Gymru, ac am Bontshân.

Ryw fore Llun dyma Wili bach yn cyrradd adre, a'i fam yn 'i groesawu ar garreg y drws.

"Wili bach, 'y machgen glân i," mynte hi, "rwyt ti wedi dod nôl. Nawr, cer i'r gwely, Wili bach, ti'n siŵr o fod wedi blino."

Fe ath Wili i'r gwely, a bore drannoth dyma'i fam yn gneud brecwast iddo fe, a galw ar waelod y stâr arno fe i godi.

"Wili bach, dere, cwyd Wili bach, ma dy fara te di'n oeri."

Dim sôn am Wili bach yn ateb. A dyma'i fam yn mynd lan i'r llofft, yn towlu'r cowntyrpan, y garthen a'r shîten nôl o'r gwely. A wyddech chi, dyna lle'r odd Wili bach yn gorwedd ar 'i hyd ar y gwely, yn farw.

Ie, Wili bach wedi croesi'r môr, wedi croesi'r afon Neil ond wedi marw ym Mhontshân. Wili bach wedi croesi'r Gŵy a marw yng Nghonwy, wedi trechu'r pethe mowr, ond wedi colli yn y pethe bach.

Fe ddath Wili bach o Bontshân nôl yr holl ffordd o Affrica. Croesi'r môr a'i donnau mawrion, gweld yr Hipo Bob Tomos mawr a'r morfil mwy, ond câl 'i ladd gan slashen o whannen yng ngwely 'i fam.

On'd yw bywyd yn galler bod yn od weithe?

★ ★ ★

Wi'n amal yn meddwl nag y'n ni ddim yn gweld gwerth yr adnodde sy gyda ni fel cenedl — yr adnodde sy mor agos aton ni, ond yr adnodde nag y'n ni ddim yn manteisio arnyn nhw nac yn gwneud y gore ohonyn nhw.

Dyna i chi foi wi'n 'i nabod e nawr — Boi Felin Bob y'n ni'n 'i alw fe. Cafodd 'i eni a'i fagu yn Sir Fynwy, ac fe ddath wedyn i fyw i Fanc Sion Cwilt aton ni. Ond er i ninne gal ein geni a'n magu ar Fanc Sion Cwilt, dy'n ni ddim yn gallu gweld gwerth yr adnodde cyfoethog sy o'n hamgylch ni. O'dd yn rhaid inni aros am ddyfodiad boi fel Boi Felin Bob cyn sylweddoli gwerth y pethe.

Fe gynlluniodd y Boi Felin Bob, i ddechre, beiriant mawr fel *Hoover* — y peiriant sy'n glanhau llorie yn y tŷ — yn arbennig ar gyfer casglu llysie duon bach — a ninne ar Fanc Sion Cwilt yn gadel iddon nhw fynd yn ofer, i'r ysguthanod 'u cal nhw a'u bwyta nhw. A wyddech chi beth, o'dd hwn yn hala cymaint â phum tunnell yr wthnos yn ystod misoedd yr haf bant i *Chivers Jam* yn Lerpwl. Wedyn, brynodd e lori fawr — *Thorney-croft 1939* — am ugen punt yn Llandysul i fynd â'r llysie duon bach 'ma lan i Lerpwl, ond o'dd e'n cal trafferth ac ychydig bach o golled ar y dechre ynglŷn â'r sache. Hynny yw, o'n nhw'n jammo yn y sache cyn cyrredd pen y daith. Ond llwyddodd e i ddatrys y broblem 'ny pan ddath y bagie *Polythene* a'r bagie maniwyr: o'dd rheini'n cadw'r llysie'n ddiogel.

Ond yn ddiweddar iawn mae e wedi agor ein llyged ni unwaith eto. Mae wedi penderfynu agor ffatri jam fowr ar Fanc Sion Cwilt.

* * *

Fe gafodd Boi Felin Bob un tro gontract 'da rhyw bopty yng Nghei Newydd i wneud bara yn ystod misoedd yr haf. Ond o'dd yr hen oil stôf fawr o'dd gydag e ddim yn addas at y gwaith. O'dd e mas o ffasiwn, ac o'dd e'n cal llawer o drafferth gyda'r hen stôf. A nawr o'dd e wedi cal hanes *Rayburn*, y stôf fawr fodern 'na: galle fe 'i chal hi am ddim ond iddo fe fynd i'w nôl hi, a dyma'i fam ac ynte nawr yn mynd i nôl y *Rayburn* 'ma. Ethon nhw â digon o raffe gyda nhw — cynnyrch y cwrci dri chan punt siŵr o fod — i glymu'r stôf ar gefen Boi Felin Bob, oherwydd o'dd 'na bwyse mawr yn yr hen *Rayburn*.

Wedi cal y *Rayburn* mas o'r tŷ, dyma'i chlymu ar gefen yr hen Felin Bob, a'i chario hi adre'n ôl i Felin Bob. Ond wedi cyrradd, ffindon nhw fod y *Rayburn* yn rhy fawr i fynd mewn trwy ddrws y tŷ. A nawr o'dd rhaid mynd mlân â'r gwaith, a'r unig ffordd o wneud hynny o'dd torri twll yn nhalcen y tŷ. Dyma gario'r hen *Rayburn* nôl i'r ardd, a thorri twll yn nhalcen y tŷ, a'i hwpo hi mewn i'r lle tân. Ond yn anffodus, fe gwmpodd yr hen dalcen tŷ lawr i gyd. Ond o'dd yn rhaid cario mlân â'r gwaith oherwydd o'dd 'na fara — tôs — yn y palwr yn aros i gal 'i grasu, ac o'dd perygl iddo fe chwyddo. Wel rhoion nhw'r *Rayburn* nôl yn 'i lle, a chodi'r talcen tŷ yn ôl ar un waith.

Wel o'dd talcen tŷ newydd gyda nhw nawr, a'r cwbwl yn braf, a Felin Bob 'i hunan ar 'i newydd wedd, fel 'tae. A nawr, cynne tân yn y *Rayburn*, ond wir i chi, do'dd yr hen beth ddim yn gwitho: o'dd dim modd o gwbwl cal fflam ynddo fe. Trychineb fawr, a phawb yn methu deall. Ond o'dd dim i'w wneud nawr ond torri twll arall yn nhalcen y tŷ i gal yr hen *Rayburn* mas unwaith eto. Ond wir i chi, ar ôl gwneud y twll yn nhalcen y tŷ, a chal y *Rayburn* mas, fe gwmpodd y talcen tŷ yr ail dro.

Wel do'dd dim amser i godi'r hen dalcen tŷ nôl nawr: o'dd rhaid mynd â'r *Rayburn* lawr trwy'r cae, trwy'r weunydd, i'r pentre agosa, sef Mydroilyn. Cyrradd Mydroilyn, a lawr at y gof o'n nhw'n gobitho bydde fe'n ryparo'r *Rayburn*, ond rhywsut neu'i gilydd, o'dd gof Mydroilyn ddim yno. Wel o'dd dim byd i'w wneud nawr ond cerdded nôl at y gof agosa. O'dd y *Rayburn* yn pwyso pum can pwys ar gefen Felin Bob — dyn cryf — a'i fam yn 'i ddilyn e a stened o ddŵr gyda hi. Cyrradd yr ail gof, a hwnnw i ffwrdd yn rhywle neu'i gilydd, a cherdded nôl eto at y gof arall, at Rys y Gof, ond o'dd hwnnw mas yn ryparo beinder.

Wel nawr, o'dd e'n ddiflas yn 'i hanes e. O'dd e'n dechre blino. Ond o'dd un gobaith yn aros; ro'dd un gof, o'dd e'n gwbod bydde fe gatre, sef Go Mowr Pontshân. Wel nawr, cyrradd stryd fawr Pontshân, a'r hen raffe, er cystal 'u gwneuthuriad, wedi 'mestyn, a'r hen *Rayburn* yn llusgo i'r llawr, a'r Felin Bob yn anwedd ac yn wlyb i gyd. Ro'dd e wedi yfed chwe stened o ddŵr, ac o'dd e'n berwi i gyd. Os o'dd Boi Felin Bob yn gryf yn 'i feddwl — a rhaid 'i fod e, o gal yr holl syniade newydd a gwahanol 'ma — ro'dd e hefyd yn gryf yn 'i gorff. Ond o'dd hyd yn oed Felin Bob yn gwanhau nawr, ar ôl cario'r fath bwyse y fath bellter.

Ta beth, cyrradd yr efel, a'r Go Mowr yn dod mas, a'i lasus ar 'i dalcen. 'Y creadur twp ag wyt ti,' medde'r Go Mowr, '— dyw'r *Rayburn* 'ma ddim gwerth dime.' A dyma fe'n cydio yn y *Rayburn*, a'i thaflu ddi dros yr efel i'r gors tu ôl i'r efel, a welodd neb byth mo'r *Rayburn* ar ôl 'ny. A mae'n debyg mai'r unig beth o'dd o'i le ar y *Rayburn* o'dd clawr y lle tân; a petai e, Felin Bob, wedi gofalu, dim ond y clawr bydde rhaid iddo fe'i gario. A 'na'r daith galed yn ofer.

Wel o'dd dim dewis nawr ond mynd nôl i ail-godi'r talcen tŷ a gneud y gore o'r hen stôf, ond gyrhaeddon nhw dim ond mewn pryd cyn i'r tôs chwyddo gymaint a bwrw'r talcen arall lawr.

* * *

A dyma ychydig o hanesion 'John fy mrawd':-

Job gynta John ar ôl gadel Llwyn Crwn odd gweithio yn ffatri gaws Carffili. A fe gath waith wrth 'i fodd — dim troi bydde na dim byd felny — ond dal llygod bach. Fe welodd John tu hwnt i bethe, uwchlaw cymylau amser, fel petai. Bob tro y bydde fe'n dal llygoden fach fe fydde fe'n torri'i chynffon hi. Fe gofiodd John, chweld, am y ffeils odd e'n arfer brynu yn shop Wilwitsh yn Aberteifi, y *Mouse Tail File — it profiles where a tension file cannot reach.*

A dyma John yn codi ffatri fowr ochor yn ochor â'r ffatri gaws i gynhyrchu Mows Teil Swp mâs o gynffonne'r llygod bach. Ac am 'i fenter a'i weledigeth fe anrhydeddwyd John â gradd B.Sc.Econ. gan Brifysgol Cymru.

Pwy ddath i glywed am hyn ond yr Arlywydd Amin o Iwganda. A dyma fe'n gwahodd John mâs i'w gynghori fe shwt odd setlo'r holl Saeson odd yn y wlad. Cyngor John odd iddo fe agor ffatri fowr ar gyfer gneud cawl mâs o geillie Saeson a'i werthu fe fel Jon Bwl's Bôls Swp.

A dyna John i chi. Ble bynnag ma'r Sais a'i fochyndra, fe fydd John 'na. Fe fuodd e mâs yn y Cod Wor. Fe fuodd e wedyn yn y Niw Hebridis, lle gorfododd e'r Suson a'r Ffrancwyr i baco lan.

Ond ma John yn barod i ymladd dros unrhyw anghyfiawnder. Pan glywodd e am y trafferthion yng Ngwlad Pwyl, a blagardieth y Rwshed fan'ny fe ath mâs. A dyw pawb ddim yn gwbod hyn, ond John 'y mrawd yw Lech Walesa. Ie, ffaith i chi, yr un person ŷn nhw.

Victory for Walesa?

Fe newidiodd 'i enw, wrth gwrs. Whare teg, alle fe ddim galw'i hunan yn John Jones mâs yng Ngwlad Pwyl alle fe nawr? A dyma John yn newid 'i enw i Lech Walesa, y Lech yn dod o enw pentre Trelech, er parch i Mari Fowr, ontefe, a'r Walesa o enw Cymru yn Susneg, wrth gwrs.

Ma John yn ddigon tebyg i fi yn 'i olwg, yn arbennig pan fydd e'n gwisgo'i gap gwyn, a dyma i chi lun o John yn annerch yr undebwyr yng Ngwlad Pwyl o dan yr enw Lech Walesa. Jiw, on'd yw e'n edrych yn dda?

★ ★ ★

Rodd John mewn trwbwl, ond fe gofiodd am arwyddair y teulu, 'Os wyt ti byth mewn trwbwl, treia ddod mâs 'no fe.' Rodd hi'n nosweth 'lŷb a garw. Dim arian i dalu'r trên, dim arian i brynu bwyd a dim i dalu llety.

Dyma John yn gweud wrth 'i hunan, 'Rwy wedi bod yn flagard ac yn sgamp, yn byw ar 'yn wits drw 'mywyd,' mynte John. 'Ond os do i mâs o hyn a 'nghrôn yn iach rwy'n addo, o hyn mâs, y bydda i'n ddyn strêt, yn ddyn parchus. Ond rwy'n mynd i roi un cynnig arall arni.'

Rodd hi nawr yn hwyr yn y nos, a John, druan, yn 'lŷb at 'i grôn a bron llwgu. A dyma fe'n troi mewn i'r ffermdy cynta welodd e a dyma fe'n cnoco ar y drws. Fe ddath gwraig y ffarmwr i'r drws a channwll yn 'i llaw i weld pwy alle fod yn cnoco mor hwyr yn y nos. A dyma John, fel gŵr bonheddig, yn tynnu'i gap.

"Wel, misys," mynte John, "fi yw'r dyn newydd sy'n teithio'r ardal 'ma. Rwy wedi cerdded o ffarm i ffarm heb fowr o lwc, a chi, misys, yw 'nghyfle ola i. Chi'n gweld, misys, fi yw'r Inspector Cachu Geir. Ma 'na arian yn y fusnes, misys, arian i chi ac arian i fi. Rwy'n talu coron y pownd am y cachu geir gore."

"Inspector bach," mynte'r fenyw, "Inspector bach, dewch mewn. Rwy'n falch 'ych gweld chi. Ma siŵr o fod tynnell o'r stwff 'ma. Ond awn ni ddim lawr i'r tŷ geir heno yn y tywydd garw 'ma. Dewch draw at y tân."

Mewn wincad rodd John wedi tynnu'i ddillad glŷb, a 'na lle rodd

117

e yn siwt ore'r ffarmwr, a'i drâd yn slipyrs y ffarmwr yn iste'n gynnes wrth y tân wedi byta pryd da o swper, ham a wye'r ffarmwr yn 'i fola fe a baco'r ffarmwr yn 'i bîb e.

"Nawr te, Inspector, ma'n well i chi gysgu 'ma heno," mynte'r wraig, "a fe awn ni lawr i'r tŷ geir bore fory."

"Hyfryd iawn," mynte John, wrth gâl 'i arwen lan y stâr i'r gwely plu.

Bore trannoth, llond bola o frecwast — cig moch a wye, hei leiff, ontefe — a John wrth 'i fodd.

"Nawr te, misys," mynte John, "fe awn ni lawr nawr i weld y cachu geir."

Dyma nhw'n mynd lawr trw'r clos, heibo'r cartws. Bois bach, rodd y gart, y gambo a'r gist o'r golwg. Cachu geir ym mhobman. A'r beinder, dim ond top 'i sêt o odd yn y golwg.

Lawr â nhw trw'r sgybor. Cachu geir ym mhobman, a'r injan nithio, y Corbet — "six gold medals in the 1886 International Exhibition at Antwerp" — nawr cachu geir odd 'i unig ogoniant e. Dim ond yr handyl odd i weld.

Bant â nhw, lawr drw'r beudy. Cachu geir ym mhobman. Rodd cachu geir hyd yn o'd ar gefne'r da.

"Misys fach," mynte John, "ŷch chi siŵr o fod wedi gneud mistêc, ma'ch estimet chi'n rhy isel. Dim tynnell sy 'ma. Ma'n agosach i fod yn ddeg tynnell."

"Inspector bach," mynte hithe, "'dŷch chi ddim wedi gweld 'i hanner e 'to. Dewch lawr i'r tŷ geir. Yn fan'ny ma'r bylc."

A dyma nhw lawr i'r tŷ geir, i'r man iawn, i'r man lle'r odd y bylc. A dyna John, fel y dyle unrhyw Inspector 'i neud, yn cydio mewn rholyn bach o'r cachu geir a'i ddal e wrth 'i drwyn ac yn sniffan.

"Hmmmmm . . . ie, hyfryd iawn," mynte John, "ma cachu hyfryd 'ma, cachu ardderchog, a gweud y gwir, misys."

Dyma fe'n codi rholyn bach arall a gneud yr un peth. "Hmmmm . . . ardderchog, misys. Petawn i'n Sais fe ddweden bod cachu blydi marfylys 'ma."

Fel dyn yn deall 'i waith, fel dyn ag awdurdod ganddo, ontefe, dyma fe'n cydio yn y trydydd rholyn a'i ddal e wrth 'i drwyn. Ond dyma'i wedd e'n newid, dyma'i wep e'n cwmpo.

"Piti," mynte fe, "ie, piti garw, misys. Fe fydd hyn yn siom fowr i chi, fe fydd yn siom fowr i finne. Ma'n ddrwg iawn 'da fi weud wrtho chi, misys, ond ma gormod o gachu ceilogod ynddo fo."

Hen Ddwylo

Yn ei gyfrol *Hen Ddwylo* mae E. Llwyd Williams yn adrodd hanes rhai o'r cymeriadau a oedd yn byw yn yr ardal honno o Ddyfed sydd ar ffin yr hen siroedd Caerfyrddin a Phenfro. Yn eu mysg, yr oedd rhai oedd yn gallu ei "dweud hi".

Wil Canän

Clocsiwr y fro oedd Wil Canän. Un tro, wrth i weinidog ei holi ar gyfer y Gymanfa Bwnc cafodd yr ateb canlynol:

"Y mae dyn yn gallu codi pwysau mawr mewn dŵr. Yr oeddwn yn pysgota yn ddiweddar, ac yr oedd carreg fawr o'r ffordd yn yr afon, a dyma fi'n ei symud hi. Yr oedd yn dunnell o bwysau!"

Nid oedd y fellten yn ymddwyn yn felltigedig ar aelwyd Wil. Dyma ddisgrifiad Wil ohoni.

"Bu lle rhyfedd yn y tŷ 'co neithiwr. Daeth y fellten i lawr drwy'r simne a chwarae'n rubanau i gyd o gylch y tân. Bu rhaid imi godi ac agor y drws iddi fynd allan, rhag ofn iddi wneud difrod."

Yr oedd eira mawr 'slawer dydd. Eithr anodd credu stori Wil a'r profiad a gafodd ef mewn eira mawr. Llwyddodd i fyned â chart dau-geffyl o Faenclochog i Arberth, taith o ryw ddeuddeg milltir, heb gymryd sylw o na ffordd na pherth nac afon. Yr oedd ôl carnau'r ceffylau i'w gweled ar do gwellt rhyw dri neu bedwar bwthyn ar hyd y daith, ar ôl i'r eira glirio!

Nid dyma'r unig brofiad a gafodd gyda chart dau-geffyl. Yn nyddiau'r calchu, ei gart ef oedd y cyntaf i gyrraedd yr odyn. Taerai rhai o'r gyrwyr eraill bod Wil wedi dyfod i'r odyn ambell fore â phen dyn rhwng adenydd olwynion ei gart. Ni fynnai ef wadu, ond mynnai iddo fwrw pob pen a gafodd yno i ganol y tân, cyn i neb arall eu gweled.

Un dydd wrth ddychwelyd o'r odyn, duodd yr awyr a daliwyd ef a'i lwyth mewn cawod drom o law taranau. Offer lledr a wisgid am geffylau yn y dyddiau hynny. Brawychwyd ef o weled tidiau'r ceffyl blaen yn dechrau ymestyn ac yn ei wahanu oddi wrth y gaseg siafft. Methodd honno â thynnu'r llwyth, a pharhau i ymestyn a wnaeth y tidiau am chwarter milltir, hyd nes i Wil weiddi, "Wo". Ciliodd y gawod yn sydyn, a daeth yr haul allan yn fflam danbaid. Er syndod iddo, gwelodd y tidiau'n dechrau tynhau a thynhau nes tynnu'r llwyth i ymyl y ceffyl blaen. A dyna ddiwedd yr helbul.

Daeth nifer o weision fferm ato ar noson o haf, a hwythau wedi bod drwy'r dydd yn eu lladd eu hunain wrth ladd gwair â phladuriau. Yr oeddent yn rhy wan i ddim ond i gwympo a thuchan.

"Y mae dyddiau ysgafnach o'n blaen, fechgyn," meddai Wil, "Bydd mashîn lladd gwair yn yr ardal yma cyn bo hir . . . siswrn mawr yw e . . . siswrn mawr! Rhaid ei gario i'r cae, ei agor a'i gau unwaith, a dyna'r gwair i gyd wedi ei ladd."

Dyna freuddwyd Wil, flynyddoedd lawer cyn i neb yn yr ardal glywed sôn am na Hornsby na Bamford.

Mi saethodd hen asyn ar y cae ryw ddiwrnod gan ddefnyddio cnau yn lle cetris a thyfodd coeden gnau fawr o'i gefn. Dringodd i ben y goeden yn uchel yn y 'cwmwle' a chael 'dished o de' gyda rhyw 'hen fenyw fach oedd yn nithio llafur'. Symudodd yr asyn, ond gollyngwyd Wil i lawr gan bwyll bach drwy gymorth y wraig a wnaeth reffyn pen bys iddo. Ond — cratsh! Torrodd y rheffyn a disgynnodd Wil â'i ben yn sownd rhwng dwy garreg. Aeth adre i nôl caib i gael ei ben yn rhydd, a phan ddaeth yn ei ôl — 'folon marw! — roedd y brain wedi tynnu'i lyged e mas!

Dai'r Dwrdy

Yr oedd galw mawr am Dai'r Dwrdy adeg y cynhaeaf gwair, a gwyddid amdano fel gŵr hoff o gaws. Amser bwyd, dywedodd un ffermwr wrtho, "rwy'n siŵr na welaist ti gaws mor boeth â hwn erioed o'r blaen."

"O, do," meddai Dai, "gwelais Mam yn torri cosyn yn Nhrefwrdan, a phan dynnodd hi'r gyllell allan, yr oedd hi'n goch."

Yr oedd yn hoff o gyhoeddi'r ffaith mai ef a gododd y brithyll mwyaf o'r afon Cleddau, ac yn fwy hoff fyth o adrodd ei brofiad olaf ar lannau Taf. Nid oedd cyn gryfed ag y bu, ac aeth allan i lan yr afon er mwyn dal ychydig o nwyf yr hen anian. Eisteddodd yn ei lesgedd ar y geulan, gan chwarae ei blu yn y crych a gosod ambell frithyll i orwedd yn dawel y tu ôl i'w gefn. Yn ddisymwth, daeth ato drwy'r coed fonheddwr glandeg yn gofyn caniatâd i bysgota yn ei ymyl. Cyn hir, cododd y gŵr dieithr frithyll braf; edrychodd arno, tynnodd ef yn rhydd a'i daflu yn ei ôl i'r afon. Cododd bysgodyn bach yn fuan wedyn, a gosododd ef yn ddiogel yn ei gwdyn gwyn. Taflodd ei fach i'r dŵr y drydedd waith a chododd frithyll hanner pwys; edrychodd arno, tynnodd ef yn rhydd a'i daflu yn ôl i'r afon. Yr oedd hyn yn ormod i Dai, a gwaeddodd, "Bachan, beth sy'n bod arnoch chi'n bwrw'r pysgod mwyaf yn ôl i'r dŵr . . . odych chi'n gall?"

"O, dim ond ffrympan chwe modfedd sy gan y wraig," oedd ei ateb.

Bu Dai'n agos i angau unwaith. Er mwyn cyrraedd adref yn fuan o bentref cyfagos, dewisodd lwybr byr dros y relwe, methodd glywed trên o'r tu cefn iddo, a thaflwyd ef ynghwsg am beth amser. Ar ôl dyfod ato'i hun, ymlusgodd ar ei dor dros y rheiliau i'r ochr, rhag i drên arall ddyfod a gorffen y drychineb. Ac yno y bu, hyd nes iddi oleuo ac i was fferm ei weled wrth ysbïo hynt yr anifeiliaid. Cludwyd ef oddi yno yng nghart y fferm. Mynnai Dai nodi dau beth wrth adrodd hanes y noson honno. Un peth oedd mai ceiliog ffesant a welodd gyntaf yng ngolau blaen y wawr, ac i'r ceiliog hwnnw fentro o fewn pumllath ato a dywedyd, "Hylo Dai! Yr wyt ti'n ddigon diniwed heddiw. Yr wyt ti wedi anelu llawer ergyd i'n plith ni, ond dyna un i ti o'r diwedd. Bore da!" Ar ôl ei gyfarch felly, cerddodd i fyny'r lein gan ysgwyd ei blu.

Yr ail beth a bwysleisiai oedd y ffaith iddo orfod gorwedd ar ei wyneb am wythnos, gan fod sgriwiau gwaelod yr injan wrth redeg drosto wedi crafu darn o groen ei gefn yn bedwar llinyn hir. Mynnodd ef droi peth o'r golled yn elw, a chael Ann ei wraig i dorri'r pedwar llinyn a'u piclo nes dyfod ohonynt yn garrai esgid. Bu'n eu gwisgo'n gyson hyd nes iddynt fynd yn rhy galed ac yn rhy anystwyth i'w defnyddio mewn esgidiau newydd.

Dafi Esgaironnen

Cymeriad o ardal Llanarth, Ceredigion oedd Dafydd Evans, Esgaironnen. Pan ofynnwyd iddo un tro:-

"Bachan, pam y'ch chi'n rhaffo celwyddau fel hyn?"

Atebodd Dai: "Pe bawn i'n dweud y gwir, pwy 'nghoelia i?"

Yn rhifyn Tachwedd 1980 o *Bro*, cylchgrawn mudiad Adfer, mae Elisabeth Reynolds yn hel atgofion am y cymeriad hwn.

Roedd 'Leias Rhydfawr wedi bod yn bwrw'r helem miwn ym Mlaenwern, a sôn am hynny yr oedd wrth ei gymydog, Dafi Esgaironnen. "Yr oedd yr helem yn fyw o lygod ffreinig," meddai 'Leias, "a thasgent allan ohoni fel gwenyn o gwch."

"Ma'r hen lygod ffreinig yn gneud difrod dychrynllyd," meddai Dafi gyda thawelwch llunio stori.

Ni ddywedodd 'Leias yr un gair wedyn, ond sylwodd ar Dafi yn tynnu rhyw anadl hir, yr hyn a wnâi fynychaf cyn lansio stori newydd o gyfrin gelloedd ei ddychymyg byw. Munud o ddistawrwydd, ac yna dechreuodd arni.

"Rwy'n gw'bod amdanyn nhw'n dda," meddai. "Roe'n nhw'n arfer bod gyda ninnau yma yn bla hefyd, — hyd yn oed yr haf diwetha fe'u gwelais nhw droeon yn heidiau gyda'i gilydd ar y clos 'ma, llawer ohonyn nhw yn hen a methedig, a rhai wedi mynd yn ddall hefyd, a wyddost ti 'Leias, own i'n gweld y rhai ifanca yn amal ar ddiwrnod braf yn arwain yr hen dacle am dro bach lan i ben y banc, er mwyn iddyn nhw ga'l tipyn o awyr iach."

Safodd am eiliad, fel pe i roi cyfle i 'Leias i lyncu gymaint â hynny, a thynnodd anadl arall cyn mynd ymlaen. "Ond diolch byth, y'n ni wedi cael eu gwared nhw'n llwyr nawr."

"Gwenwyno gwlei?" gofynnodd 'Leias.

"Nage wir," meddai Dafi. "Fel gwedes i wrthot ti roedd 'na

filoedd ohonyn nhw yn llechu yn y teisi 'ma, a phan bydden ni yn bwrw helem miwn roedd Siencyn yn treio eu saethu nhw. Ond roedd y cythreuliaid bach yn rhedeg rownd gyda sail yr helem, ac yn dianc o afael yr ergyd o hyd. Ond fe benderfynodd Siencyn nad o'n nhw ddim yn mynd i ga'l cario fel'ny. Roedd gyda ni hen ddryll dwbwl-baril yn iawn i'w ga'l 'ma, a ti'n gweld, beth 'na'th Siencyn ond plygu tipyn ar y baril, fel y byddai'r ergyd hefyd yn mynd rownd ar eu hôl nhw."

"Ac fe weithodd yn grand, wel 'di. Does dim llygoden 'ma nawr 'Leias."

⋆　⋆　⋆

Creadur mawr, hyll oedd y baedd a fu am flynyddoedd yn sgrechian o gwmpas y clos yn Esgaironnen. Un sgaprwth dychrynllyd oedd yn ei ddyddiau cynnar yn ôl y bobl a'i cofiai, — yn gwneud i ddyn feddwl ei fod o linach y Twrch Trwyth. Ond yn ei flynyddoedd olaf yr oedd yn ddigon difywyd, a'i gefn fel astell wedi ei hollti'n ddwy, ac un hanner yn unig ar ôl ohono!

Pe bai digwydd i chwi wneud rhyw gyfeiriad ato wrth siarad â Dafi, byddech debyg o gael y pleser o wrando ar ymson hir, rhywbeth tebyg i hyn, — "Mae e wedi ei eni a'i fagu 'ma, own i ddim wedi meddwl ei gadw e c'yd, ond mae e'n leico'i le, mae'n amlwg. Flynyddoedd yn ôl fe'i gwerthais i ffermwr ar Fanc Siôn Cwilt, ac fe dalodd amdano, ac aeth ag e odd'ma hefyd. Ond cyn bo hir iawn fe ffeindiodd yr hen greadur ei ffordd yn ôl 'ma, a chan na ddaeth neb i'w berchenogi, yma y bu.

"Ymhen rhai blynyddoedd wedyn, fe'i gwerthais eto i fochwr o Landysul. Hebryngais ef i'r Synod, ac yno yr oedd i ymuno â llwyth o foch a oedd i fynd i Birmingham y noson honno. Ond fore trannoeth yr oedd y creadur yn ôl ar y clos 'ma, wedi neidio allan o'r lori mae'n debyg, a disgyn yn ddianaf yma yng nghanol y domen. Yma y bu am rai blynyddoedd ar ôl hynny.

"Y trydydd tro fe'i gwerthais i fwtsiwr o Aberaeron er mwyn gwneud sosejes ohono, ac yn wir own i'n meddwl 'mod i wedi ca'l 'i wared e'r tro hyn.

"Ond wyddoch chi beth, ymhen rhyw bythefnos fe ddaeth cymaint â hyn ohono yn ôl eto.

"Roedd y peiriant gwneud sosejes wedi tagu mae'n debyg, a thra buont yn ei wacáu, cafodd yr hen faedd gyfle i ddianc! A 'nôl 'ma y da'th e!"

Dafydd Bwli

Dafydd Jones oedd ei enw bedydd. Hen gymeriad oedd yn rhyw hanner tramp ac a weithiai yma ac acw, ond yn bennaf ar y platfform yn stesion Porthmadog. Cariai fagiau a chêsys yr ymwelwyr oddi ar y trên am ryw gildwrn. Byddai'n cysgu un ai yn y gwaith nwy neu yn y lladd-dy ym Mhorthmadog. Ni phoenai lawer am y llygod mawr gan eu bod i gyd yn ei adnabod ac yn dipyn o ffrindiau gydag ef. Yn wir, roedd ganddo enw i bob un ohonynt meddai ef ac ni fyddent byth yn ei frathu — dim ond os nad oeddynt wedi ei weld ers tipyn!

Byddai pobl Port yn hoff iawn o wrando arno yn adrodd ei straeon ond doedd fiw ichi chwerthin neu fe fyddai'n tewi ac yn cerdded oddi yno. Credai ei straeon ei hun ac fe ddisgwyliai i bawb arall eu credu ac nid gwamalu.

"Dwi'n cofio mynd i Werddon," meddai un tro, "ac yn dal y llong yng Nghaergybi. Pan o'n i'n mynd ar y llong, mi welwn ddeifar yn cael ei ollwng i lawr gydag ochor y llong i'r dŵr. Wel i chi, roedd y môr yn arw iawn ac mi fues yn sâl fel ci yr holl ffordd drosodd. Roedd hi'n hwyr glas gen i weld Werddon.

"O'r diwedd, dyma'r llong yn cyrraedd ac wrth i mi gerdded oddi arni, be welwn i ond y deifar yn cael ei godi i fyny o'r dŵr wrth fy ochor. Dyma fi ato fo a thapio'i helmet. Pan agorodd o'r ffenest fach yn ei helmet dyma fi'n deud wrtho fo:

'Taswn i'n gwybod dy fod ti wedi cerddad mi faswn i wedi cerddad efo ti!' "

★ ★ ★

Bu'n adrodd ei hanes yn hwylio i Efrog Newydd am y tro cyntaf pan yn forwr. Wrth i'r llong groesi'r môr, fe ffeindiodd fod yna ddynes anghynnes iawn yn teithio ar y llong. Ni wnâi hon ddim byd ond cwyno a swnian bob munud y gwelai ei chyfle i wneud hynny.

Sylwodd rhywun yn ystod y fordaith honno fod yna forfil mawr yn dilyn y llong. Dyma'r capten yn rhoi ordors i'r criw i gael gwared â'r morfil. Yn ogystal â theithwyr, roedd y llong yn cario bocsys orennau a dyma Dafydd Bwli yn cydio mewn bocs orennau a'i daflu at y morfil. Mi lyncodd hwnnw'r bocs yn gyfan. Dyma fo'n taflu bocs arall ato a dyma'r morfil yn llyncu hwnnw hefyd.

Roedd yna stôl wrth ymyl y drws oedd yn arwain o'r dec a dyma Dafydd Bwli yn taflu'r stôl at y morfil. Mi lyncodd honno hefyd. Pwy ddigwyddodd basio ar yr union funud honno, gan gwyno am rywbeth, oedd y ddynes annifyr. Dyma Dafydd Bwli yn cydio ynddi a'i thaflu dros ochr y llong at y morfil. Mi lyncodd hi'n gyfan, ond mae'n rhaid ei fod wedi cael digon o fwyd achos mi aeth o i ffwrdd heibio'r llong.

Pan gyrhaeddodd y llong Efrog Newydd, fe welodd fod yna griw o bobl wedi casglu ar y cei i weld rhywbeth. Dyma Dafydd Bwli yn gwthio'i ffordd drwy'r dyrfa a beth welodd yno, yng nghanol yr holl bobl, ond yr hen ddynas ddiflas yn eistedd ar y stôl yn gwerthu'r orennau am dair ceiniog yr un.

* * *

Adroddai hanesion am leoedd oer iawn hefyd. Mae un stori yn lled gyffredin ond yn ei fersiwn ef roedd hi mor oer i fyny yn yr Arctic nes oedd y geiriau'n rhewi yng ngheg y capten. Bu'n rhaid i hwnnw gael padell ffrio boeth wrth ei ymyl drwy weddill y daith er mwyn dadmer ei eiriau i'r criw gael deall beth yr oedd yn ceisio ei ddweud.

* * *

Bu am gyfnod yn y fyddin, yn gwasanaethu yn India. Un tro, roedd syrcas ym Mhorthmadog ac roedd Dafydd Bwli wedi mynd yno ac wedi talu i gael eistedd yn y seti rhataf a oedd yn digwydd bod reit yn y tu blaen, yn union o dan y cylch mawr.

Yn ystod y perfformiad, daeth tro'r eliffantod, a dyma nhw'n dod i'r cylch a cherdded o'i gwmpas. Yn sydyn, dyma un eliffant yn estyn ei drwnc dros yr ochr, ac yn codi Dafydd Bwli allan o'i sêt, ei gario ar draws y cylch a'i osod yn daclus yn un o'r seti drytaf oedd yn y babell.

"Mae'n rhaid," meddai Dafydd Bwli, "fod yr eliffant wedi fy nabod ac yn fy nghofio pan oeddwn i allan yn India!"

* * *

Soniodd hefyd am dywydd eithriadol o oer mewn un rhan o Ganada. Roedd hi mor oer yno yn y gaeaf fel eu bod nhw'n methu claddu'r meirwon mewn eirch yn y ffordd arferol. Yr unig ffordd y gellid claddu'r meirw oedd rhoi min ar eu traed a'u dobio nhw i fewn i'r ddaear!

* * *

Pan yn cludo o'r platfform un tro, fe gymerodd seibiant bach a mynd i'r bar am beint. Llyncodd y cyntaf ar ei dalcen. Gwnaeth yr un peth gyda'r ail, y trydydd a'r pedwerydd. Dyma ryw ymwelwr o Sais yn sylwi ar hyn ac yn gofyn iddo a fedrai yfed llond jwg galwyn yn yr un modd. Atebodd Dafydd Bwli y gallai. Gofynnodd y Sais am lond jwg galwyn o gwrw a'i roi ar y bar. Cerddodd Dafydd Bwli allan o'r bar ond daeth yn ei ôl ymhen pum munud. Yfodd y jygiad cwrw ar ei dalcen. Gofynnodd y Sais pam roedd wedi mynd allan. Atebodd Dafydd Bwli:-

"Bu'n rhaid imi bicio i'r Cwîns (sydd gerllaw'r orsaf) i gael jygiad galwyn yno er mwyn gweld a allwn ei yfed ar fy nhalcen cyn yfed eich jygiad chi!"

Gruffydd Jones, Y Deryn Mawr

Un o gymeriadau enwog plwyf Llanddeiniolen oedd Griffith Jones, y Deryn Mawr. Mae W. J. Gruffydd yn adrodd llawer o straeon amdano yn ei gyfrol *Hen Atgofion*. Dyma'n union fel yr adroddwyd hanesion y Deryn Mawr ganddo:

Y mae gan bob ardal ei phen celwyddwr, neu gelwyddgi, fel y dywedir yn y De. Yr oedd gennym ninnau ym Methel un neu ddau pur ddawnus yn y cyfeiriad hwn; yn wir, adnabyddid un ohonynt dan y teitl "Siôn Gelwydd Golau," ond nid oedd un o'r frawdoliaeth yn gallu cyfuno darfelydd hedegog â dawn mynegiant fel Gruffydd Jones y Deryn Mawr. Dyn main tal oedd Gruffydd Jones a barf ddu ganddo, yn cadw draw oddi wrth ei gymdogion, ond yn fwy na pharod i gymryd yr holl wasanaeth ei hunan, heb na churad na chlochydd pan fyddai gofyn am hynny. Yr oedd ei fabinogion wedi mynd yn enwog drwy'r plwyf a phan fydd dau o bobl Llanddeiniolen yn taro ar ei gilydd yn rhywle, odid na thry'r sgwrs cyn y diwedd at y Deryn Mawr, ac odid nad edrydd un ohonynt wrth y llall ryw stori newydd sbon am fywyd yr hen arwr. Wrth gwrs, ceir cynrychiolydd o ysgol Gruffydd Jones ym mhob ardal yng Nghymru, a rhyfedd mor debyg i'w gilydd yw nodweddion pob un ohonynt. Un o'r nodweddion hynny yw difrifwch aruthr wrth draethu'r epig, ac un arall yw bod yr epig honno'n hollol ddiniwed a difalais; nid enwir neb ynddi ond i'w ganmol neu i'w fawrhau, ac ni chlywais i Gruffydd Jones erioed gymryd mantais ar ei ddawn anarferol i dwyllo neb nac i lunio athrod am neb o'i gymdogion. Felly, gellir dywedyd amdano, fel am ei gymheiriaid mewn ardaloedd eraill, mai rhan ydoedd o adloniant naturiol a chyfreithlon ei bentref. Cyfrannai'r rhan honno nid er gwobr ac nid er gwerth, ond oherwydd y cymhelliad disiomedig sydd yn y gwir artist yn rhoi gorfod arno i lunio cyfanwaith o fynegiant i'w feddyliau. Pwy ŵyr na chollwyd rhyw Ddaniel Owen, neu o leiaf ryw Defoe, am nad oedd manteision dysg wrth ddrws Gruffydd Jones.

Nid yn aml y cefais i'r fraint o'i wrando, ond pan gefais, yr oedd ar ei uchelfannau. Yr oedd fy mam a minnau'n cerdded i Gaernarfon, a rhywle tua'r Tyddyn Hen goddiweddwyd ni gan yr hen frawd, a'i ymadroddion cyntaf wrth ein cyfarch yn ôl oedd math o ragymadrodd i'w bregeth. "Mae hi'n boeth ofnadwy Gruffydd Jones," meddai Mam. "Wel," meddai yntau gan bwyso'i eiriau, "ydi, y mae hi'n lled deg, ond rydw i wedi bod mewn mannau lle buasa pobl yn gwisgo dwy dop côt a dwy neu dair o siacedi gweu ar ddiwrnod fel hyn." Nid wyf ysywaeth yn cofio ateb fy mam, na disgrifiad Gruffydd Jones o'r Tophet hwnnw, ond cyn hir yr oedd ef yn hofran yn rhydd yn awyr las ddi-gwmwl Tir na nOg dychymyg pur a digymysg.

"'Tawn i wedi bod yn gall," meddai, "nid William Williams fuasai'r tenant yn Nhyddyn Andro Isa', ond y fi . . . Yr oeddwn i'r

129

pryd hynny yn hwsmon i Lady Willoughby yng ngwlad Fôn, welwch chi, ac yn ennill cannoedd o bunna iddi hi yn y flwyddyn. Lleidr ofnadwy oedd yr hwsmon o 'mlaen i, un o giari dyms Iard Malltraeth, meddan nhw, ac mi codwyd fi gan y Ledi o fod yn was bach ar f'union i fod yn hwsmon yn 'i le o, a deud yr oedd hi y buasa'n well na theyrnas ganddi hi petasa hi'n gwbod amdana i'n gynt. Wel i chi, mae'n debyg 'i bod hi wedi bod yn brolio wrth Assheton-Smith amdana i pan oedd hi'n hela hefo fo, a dyma fynta yn gyrru amdana i i'r Faenol ac yn deud wrtha i, 'Gruffydd,' medda fo felna, 'mae Tyddyn Andro'n wag, ac mi leiciwn dy gael di'n denant yno.' 'Fedra i ddim gadal Lady Willougby,' medda finna, 'o achos na fedr hi byth gael hwsmon arall i'w siwtio.' Wel i chi, o dipyn i beth, mi aeth i grefu, a finna'n dal yn gyndyn a deud na fedrwn i ddim gwneud tro gwael â'r Ledi. 'Sut denant ydach chi'n feddwl, Mr Assheton-Smith,' meddwn i wrtho, 'fuaswn i i chi petaswn i'n ddyn fuasa'n gwneud hen dro mor ffiadd?' Ond wrandawa fo ddim arna i, cyn wiriad â 'mod i'n cerddad y ffordd yma, a deisyf arna i er mwyn popeth gymryd Tyddyn Andro. 'Codwch ar 'ych traed,' ebra finna wrtho fo, 'mi gewch annwyd ar y llawr oer yna.' Ac yn ôl at Ledi Willoughby yr eis i." "Felly wir," meddai Mam, "a oedd gennych chi ddigon o Saesneg i ddeall y sgwrs?" "Oedd," ebr yntau; "y pryd hwnnw, 'ngenath i, mi fedrwn i siarad Saesneg fel gogrwn lludw, ond ar ôl dŵad i weithio i'r chwaral, mi anghofiais o jest bob gair; ond mi fedra i ddarllen papur newydd Saesneg cystal â'r brenin 'i hun." Yr oeddym erbyn hyn ar gyrraedd Pen'rallt yng Nghaernarfon, a gofynnodd fy mam ei chwestiwn olaf — "Beth wnaeth i chi adael Lady Willoughby?" Troes Gruffydd Jones lygad dirmygus arni, fel pe bai'n synnu ei bod yn gofyn y fath gwestiwn ynfyd, a'r ateb mor amlwg i'r holl fyd. "Mi ddeuda wrthach i," meddai, gan droi ar ei sawdl i fyny'r Bont Bridd, "mynd yn rhy ffond ohona i yr oedd hi."

Ond prif saga Gruffydd Jones oedd ei hanes yn y 'Merica. Y mae'n farn lled gyffredinol ymhlith fy nghydardalwyr na fu'r hen wron erioed yn nes i'r wlad honno na phen Caer Gybi, os bu cyn belled; ond nid y 'Merica ddaearyddol mewn lle ac amser sydd yn bwysig i chwi a minnau gredu ynddi, ond y 'Merica ysbrydol, fel pe tai; gwlad y Tylwyth Teg lle mae popeth mawr yn aruthrol o fawr a phopeth bychan yn aruthrol o fychan; lle'r oedd Gruffydd Jones dlawd, labrwr wrth y dydd yn chwarel Llanberis, yn benaig mabinogi'r Gorllewin, yn arweinydd i bob mudiad, yn ddehonglydd ar bob dyrysbwnc, yn cyflawni gwyrthiau a rhyfeddodau teilwng i'w croniclo yn epig unrhyw genedl a chyfnod. Nid oes ofod yma i adrodd ond rhan fechan ddistadl o'i gampau: efallai y daw rhyw ysgrifennydd arall ag awen mwy hedegog na mi i wneuthur cyfiawnder â'r paladin hwn.

Y mae llawer o brif chwedlau Iwerddon yn cychwyn gyda'r gofyniad — "Hwn a hwn, pa fodd y cafodd ei enw?" A dyma hefyd gychwyn epig Gruffydd Jones y Deryn Mawr. Ar ei ffordd i'r 'Merica llongddrylliwyd ef drwy daro craig ar ganol yr Atlantig. Yr oedd eisoes wedi rhybuddio'r capten mai trychineb a oedd yn ei aros o "gadw cymaint i'r Nor' West", ond ni wrandawai'r capten, am ei fod, druan, yn tybio ei fod yn gwybod yn well. Ond ryw fore, yn ôl darogan Gruffydd Jones, trawodd y llong ar graig. Byddai'r hogiau weithiau'n gofyn iddo (er mwyn hel gwybodaeth, mae'n ddiau) beth oedd enw'r llong. Byddai hwnnw'n gwahaniaethu o dro i dro, weithiau y *Jane a Mary* oedd y llong, dro arall y *Resoliwsion*, — ond pa bwys sydd ar beth mor fychan ag enw llong pan fyddwch chwi mewn enbydrwydd am eich bywyd, chwedl yntau? Ond ni byddai enw'r capten byth yn amrywio — "Capten Robaits, un o Foelfra" oedd ef bob amser, pa un bynnag ai *Jane a Mary* ai *Resoliwsion* oedd ar starn ei long. Gofynnodd un hogyn iddo unwaith — er mwyn dangos ei wybodaeth, efallai — i ba lein yr oedd hi'n perthyn. Troes Gruffydd Jones olwg ddeifiol arno, ac meddai, "Roedd Capten Robaits, 'y ngwas i, wedi pasio'n uwch na lein," ac ar hynny o esboniad y gadawyd y mater. Wel, fel y dywedais, trawodd y *Jane a Mary* (neu'r *Resoliwsion*) ar graig yng nghanol yr Atlantig a chollwyd pob copa walltog a oedd ar ei bwrdd ond Gruffydd Jones. A pha fodd y dihangodd ef? Wel, yr oedd dau fersiwn ganddo, a'r ddau cyn wired â'i gilydd, a gall y darllenydd ddewis yr un a fyn. Y cyntaf oedd fod y llong yn llawn o *oranges*, a phan dorrodd ar ei thraws ar ôl taro'r graig, cafodd Gruffydd Jones ef ei hun yn y dŵr fel pawb arall. Yr oedd yn barod wedi suddo ddwywaith ac yn dyfod i fyny'r trydydd tro. "Roeddwn i wedi gildio'n lân, hogia, ac yn methu gweld dim o 'mlaen i ond boddi. Ond yn sydyn dyma fi'n gofyn i mi f'hun, 'Sut gargo oedd yn y llong, Gruffydd, 'y machgan i?' 'Cargo o *oranges*,' ebra finna wrthyf f'hun. 'Wel ynta,' medda finna, 'dyna dy fywyd ti wedi i safio!' Mi roddais un hwb anferth i mi f'hun nes yr oeddwn i rhwng y llong a'r lan. A dyna lle'r oedd miliynau o'r *oranges* brafia welsoch chi 'rioed yn pincio i lawr ac i fyny yn y dŵr. Ac felly y safiwyd fi drwy imi gofio am y cargo." "'Ych safio, Gruffydd Jones?" meddai'r hogiau'n unllais. "Sut y safiwyd chi gan yr *oranges*?" "Wel," meddai yntau'n wylaidd, gan edrych dros eu pennau tua'r gorwel, "mi gerddais i'r lan drostynt!"

Hwn oedd un fersiwn, ond y fersiwn eponymaidd, y chwedl a roes enw ac anfarwoldeb i Gruffydd Jones oedd y llall. Y mae'r stori'n un â'r stori gyntaf hyd yr amser pan y'i cafodd ei hun yn codi o'r gwaelod am y trydydd tro. Pan oedd ar suddo'n ôl i grombil difancoll, dyma'r nefoedd, fel yn yr emyn, yn duo uwchben, nes oedd pob man yn dywyll. Ac o'r tywyllwch clywai ryw su fel sŵn mil myrddiwn o adar yn clepian eu hadenydd, a gwelai uwch ei ben yr aderyn mwyaf a welodd neb erioed yn mantellu'r ffurfafen. "Yr oedd ar fynd heibio dros 'y mhen i, hogia, pan rois un hwb nerthol i fyny o'r dŵr, a thrwy ryw lwc mi gefais afael yn 'i droed. Ac yn hongian wrtho y bûm i am bedair awr ar hugain, a fynta'n rhuthro drwy'r awyr fel cath i gythral, a phan gyrhaeddodd i'r tir, mi ollyngais fy ngafael. Mi dorrais fy nwy goes, a gyrru trybadd f'ysgwydd chwith o'i lle, ond doedd hynny'n ddim byd. Mi fendiais yn fuan, a dyna sut y dois i i'r 'Merica y tro cynta."

Ar ôl cyrraedd gwlad yr addewid mewn amgylchiadau mor rhamantus, a mendio'i goesau a thrybedd ei ysgwydd chwith "yn nhŷ rhyw Ddytsman," aeth i chwilio am waith. Eisiau job ysgafn oedd arno i ddechrau, gan nad oedd eto wedi llwyr adennill ei nerth, a chymerodd yr hyn, dybiai ef, oedd y job ysgafnaf yn y 'Merica, sef rhoi bara yn y popty — yn y ffwrn. "Ond un diwrnod union arhosais i yno, a mi gymrais y trên i New York" — yr unig dref a enwir ganddo yn ei gronicl — "i chwilio am rywbeth ysgafnach." "Ysgafnach," llefai'r hogiau mewn syndod, "ond oeddech chi'ch hun yn deud y munud yma nad oes dim ysgafnach na rhoi bara mewn popty?" "Nag oes, hogia," meddai yntau'n dawel, "yr ydach chi'n iawn, mewn popty fel sydd yn y wlad yma. Ond wyddoch chi sut bopty oedd hwn yn y 'Merica? Roedd o'n ddwy filltir o hyd o'i ddrws hyd at y parad pella, a fy job i oedd mynd â'r bara i mewn, mewn berfa, i'w ben draw o. A doeddwn i ddim wedi arfer â'r poethder fel y nigars oedd yn gweithio yno. Wyddoch chi beth, hogia? — erbyn imi gyrraedd y pen draw, yr oedd y ferfa wedi llosgi'n lludw i gyd ond hynny o'r llorpia oedd yn 'y nwylo i!"

Yr oedd rhai o fechgyn yr ardal, tua diwedd oes Gruffydd Jones, yn dechrau cael tipyn o addysg, ac yn meddwl cryn lawer o'u gwybodaeth. Yr oedd un ohonynt wedi clywed am y Barwn Munchausen ac, am a wn i, wedi darllen ei waith. Gan fod y gŵr hwnnw'n fath o ragredegydd annheilwng i Gruffydd Jones, gofynnodd yr hogyn iddo ar ryw sgawt un noson, "Glywsoch chi sôn erioed am y Barwn Munchausen, Gruffydd Jones?" "Clywed sôn wir!" ebr yntau'n ddirmygus, "do, debyg iawn. A mi ddeuda wrthyt ti fwy na hynny, 'machgan i — mi fûm i'n gweithio yno am dair blynedd!"

Atgofion y diweddar William Jones, Talmignedd, Dyffryn Nantlle

Bu fersiwn wahanol o'r stori sy'n egluro sut y cafodd yr enw Deryn Mawr yn cael ei hadrodd gan y diweddar William Jones, Talmignedd, Nantlle. Yn ôl ei fersiwn ef, dyma sut y digwyddodd hynny:-

Roedd o wedi mynd i Affrica am y tro cyntaf. Yn y cyfnod hwnnw, doedd fiw i ddyn gwyn roi ei droed ar gyfandir Affrica. Y funud honno, roedd haid o ddynion duon am ei waed, ac mi roedd gan bob un ohonynt fwa saeth a saethau gwenwynig. Dyma fo'n rhedeg oddi wrthynt a chan ei fod yn ddyn mawr, cryf gyda cham aruthrol o fawr, fe allai gadw ddigon ar y blaen iddynt fel nad oedd o fewn cyrraedd y saethau. Mi redodd felly am wythnosau, y dynion duon bach yn dal y gwres yn well ac yn closio ato.

O'r diwedd, dyma gyrraedd y Sahara, ac fe welai fynyddoedd o dywod o'i flaen. Credai ei bod hi wedi darfod arno wrth edrych dros ei ysgwydd, gan ei fod wedi blino'n lân. Roedd mynydd anferth o dywod o'i flaen a'r duon yn nesu. Yr ochr arall i'r mynydd, roedd anferth o dderyn mawr yn eistedd ar ei nyth a dyma neidio ar gefn hwnnw. Dychrynodd y deryn, a chodi i'r awyr. Roedd y dynion duon yn trio cael y deryn i lawr â saethau. Fel yr oedd y saethau'n cyrraedd bron y deryn, fe dynnai yntau hwy a'u rhoi dan ei gesail — yn union fel hel poethwal ers talwm!

Daliai'r deryn i godi ac allan o gyrraedd y saethau. Dyma'r deryn yn dechrau troi yn yr awyr o gwmpas ei nyth. Dechreuodd yr hen Gymro feddwl am Gymru a lle'r oedd Bethel o'r fan honno. Credai mai i'r gorllewin yr oedd Bethel. Cyrhaeddodd at gorn gwddw'r deryn a daliodd ei big at gyfeiriad Bethel. Mi ddaru'r deryn gymryd y cyfeiriad hwnnw. Mi fu'n hedfan am ddyddiau a doedd o ddim yn teimlo eisiau bwyd o gwbwl.

O'r diwedd, dyma fo'n ei weld ei hun uwchben Sir Fôn a gweld y Fenai. Llamodd ei galon dan ei fron. Daeth uwchben Bethel a chredai mai ar gaeau Penygelli y byddai'n hoffi cael ei draed ar y ddaear. Roedd o'n gweld y deryn yn rhy uchel ac yn meddwl y buasai'n dal y cwymp yn well petai'n disgyn ar gae yn hytrach na chanol y pentref. Dyma bwyso pen y deryn i lawr a dyma'r deryn yn dod i lawr ac yn disgyn yn braf ar gaeau Pengelli. Neidiodd i ffwrdd a dyma'r deryn yn codi i'r awyr ac yn hedfan yn ôl i'w wlad ei hun.

* * *

Aeth cyfnod go faith heibio ar ôl y tro cyntaf cyn iddo benderfynu mynd gyda chriw o hogiau yn ôl i Affrica. Cawsant waith yn y jyngl, ac erbyn hyn roedd y dynion duon wedi arfer gyda'r dyn gwyn a ddim mor elyniaethus. Y gwaith oedd clirio ac adennill y diffeithwch yn dir ar gyfer tyfu cnydau. Roedd gan bawb ei ran ei hun yn y jyngl, ei bartnar tua milltir a hanner i ffwrdd oddi wrtho.

Byddai'n mynd i'w weld bob dydd Sul. Roedd y lle'n berffaith ddiogel gyda weiren bigog o'i gwmpas rhag llewod.

Roedd o'n cerdded at ei bartnar ryw ddydd Sul a hithau'n boeth iawn. Dyma fo'n dod dros boncen, a beth oedd yn gorwedd ar draws y llwybr ond llew anferth. Pan welodd y llew pwy oedd yn dod, dyma fo'n dechrau llyfu ei ên.

"A wyddoch chi be?" meddai, "os fedrwch chi edrach i lygaid llew am dipyn — ac mae'n rhaid bod yn ddewr i wneud hynny — neith o ddim neidio arnoch chi. Dyma fi'n edrach yn syn arno, a dyma fi'n ei weld o'n ysgwyd ei gynffon a llyfu ei ên. Tynnodd ei winedd i mewn, a'r adag honno, yn ôl y brodorion, oedd yr adag y byddai o'n neidio arnoch — a minnau heb bwt o erfyn.

"Dyma fo'n agor ei geg a dod amdanaf a dyma finnau'n rhoi 'nwrn yn ei geg o, a thrwy ei goluddion o, i drymbal ei dîn o, mi gydiais yn ei gynffon o ac mi tynnais o y tu chwith allan.

"Dyna chi ffaith, hogia bach," medda fo.

"Wnest ti frifo?" meddai un o'r hogia.

"Naddo, dim ond fod ychydig o hoel ar fy mraich."

Aeth ymlaen at ei bartnar a bu yno am tua awr, a hithau'n boeth. Daeth yn ôl yr un ffordd a gweld yr hen lew wedi crasu'n araf yng ngwres yr haul.

"Dwi'n galon feddal, mae gen i dipyn o deimlad, a gweld yr hen lew yn dioddef a'i geg o'n cracio yng ngwres yr haul, dyma fi'n penderfynu ei droi o yn ei ôl. Wel, welsoch chi erioed ddim byd cyn falched; roedd o'n mynd o'r golwg i'r jyngl a'i gynffon yn ei afl."

* * *

Wedi bod yno am ychydig, roedd wedi llwyddo i drin tua tair acer o dir ac wedi mynd i gadw moch. Roedd y moch yn tyrchu ac yn codi hen wreiddiau. Cadwodd y moch nes yr oeddynt yn ddeuddeng mlwydd oed. Erbyn hynny, roeddant yn anferth, a'r lleiaf ohonynt yn pwyso dwy dunnell.

Un diwrnod poeth iawn, dyma fynd â'r ddau drymaf i'w gwerthu. Roedd yn rhaid cerdded milltiroedd lawer i'r lle'r oeddynt yn pwyso'r moch. Gwaith gweddol hawdd oedd eu tywys

ar hyd y llwybrau ond dyma un yn gorwedd ac yn cau codi er ei
gicio lawer gwaith. Mae'n amhosibl codi dwy dunnell o fochyn,
felly doedd dim amdani ond ei adael.

Aeth ymlaen gyda'r llall ac mi safodd hwnnw ar ei draed hyd nes
cyrraedd pen y daith. Gofynnodd i bedwar neu bump o ddynion
duon fynd i nôl y llall. Pan ddaethant yn eu holau, dywedodd bob
un nad oedd golwg o'r mochyn.

"Dyma fi'n cerdded yn ôl, ac erbyn imi gyrraedd i'r lle'r oedd y
mochyn, doedd 'na ddim byd ond llyn o saim!"

★ ★ ★

Un tro, roedd yn ei ddarlunio ei hun yn ei gartref yn y gaeaf, a
hithau'n rhewi'n gorn. Swatiai yn ei wely â photel ddŵr poeth wrth
ei draed. Dyma fo'n trio cysgu, a newydd iddo gael gafael ar gwsg,
dyma 'hwre' fawr dros y llofft i gyd. Roedd o'n methu'n glir â deall
beth oedd wedi digwydd a dyma danio'r gannwyll.

"A wyddoch chi be oedd 'na, hogia," medda fo, "llond y pot o
chwain yn sglefrio ac un wedi disgyn ar ei ben ôl a'r lleill yn
chwerthin am ei ben!"

Disgrifiodd sut y daeth o adref o 'Merica un tro:

"O'n i wedi cysgu mewn rhyw ganon mawr yn 'Merica un noson. Mi ddaeth rhywun yno a'i danio fo ac mi landis i yn Treforthin yn Sir Fôn."

Shemi Wâd

Yn ei gyfrol *Ysgrifau* a gyhoeddwyd yn 1937, mae Dewi Emrys yn neilltuo un ysgrif o dan yr enw 'Y Stori Dal'! Pennod yw hon yn adrodd hanes cymeriad o Wdig ger Abergwaun yn yr hen Sir Benfro. Rwyf wedi cynnwys y cwbl fel mae'n ymddangos yn y llyfr.

Credir yn lled gyffredinol, mi dybiaf, nad llawer o bechod, os dim, yw dweud celwyddau y gwêl pawb mai celwyddau ydynt. "Celwyddau golau" y gelwir anwireddau felly. Yn wir, mi gofiaf yn dda am lwffyn gwledig a elwid yn "Shanco Gelwydd Golau", nid oherwydd ei fod yn greadur celwyddog, ond am fod digon o ffenestri i'w gelwyddau i'ch galluogi i weld trwyddynt.

Y mae yna fath arall ar gelwydd diniwed, sef y math a gymerth ffurf y stori dal — *tall story* y Sais. Ni welaf i achos dros ymwrthod â'r term yn Gymraeg, oblegid o'r Saesneg y daeth y stori fer — peth cymharol ddiweddar yn llenyddiaeth y Cymro. Y gwir yw mai i rywogaeth y stori dal y perthyn ein chwedlau a'n rhamantau a'n Mabinogion ni'r Cymry, er bod i rai ohonynt elfennau nad ffrwyth dychymyg monynt yn gyfan gwbl.

Yn fy marn i, meistr y stori dal yng Nghymru yn y blynyddoedd diwethaf hyn, oedd yr hen Shemi Wâd. Mae'n wir na ŵyr nemor neb ddim amdano o'r tu allan i fro fy mebyd; a thlawd y bu ei ddiwedd yn ei ardal ei hun. Cyfraniadau gwirfoddol cyfeillion a ddiddorwyd ganddo a roes iddo gladdedigaeth weddus a charreg i nodi "man fechan ei fedd"; a'r perygl yw i'w straeon carlamus hefyd fynd i ddifancoll y llwch oni chronicler ambell un ohonynt ar gof a chadw mewn argraff.

Mi glywais lawer, ar ôl gado ardal fy mebyd, am y milgi rhyfedd hwnnw a redodd yn erbyn pladur yn y bwlch wrth erlid dwy ysgyfarnog, a'i hollti ei hun yn ddau hanner unffurf o'i drwyn i'w gynffon, y naill hanner yn dal un pryf, a'r hanner arall yn dal y llall! Ond o ben Shemi Wâd, mi gredaf, y daeth y stori honno ar y cychwyn, fel stori'r "daten fowr" y bu raid "ei blasto hi a mynd gatre â hi ar gart llusg yn bedwar pishyn!"

Mi glywais Shemi, â'm clustiau fy hun, yn adrodd y chwedlau hyn, a llawer o bethau cyffelyb nas clywais byth wedyn, ac yntau'n eu lleoli, wrth reswm, i'r diwrnod — yn y fan a'r lle!

Nid Shemi Wâd oedd ei enw bedydd; a chlywais hen grwt o glapgi yn yr ysgol yn syrthio i amryfusedd ofnadwy wrth geisio rhoi ffurf Saesneg i'r enw cynefin. Dweud yr oedd wrth y meistr am grytiaid a fu'n "dwyn fale".

"Where did you see them?" holai'r meistr.

"In the garden of James Blood, sir," oedd ateb y clapgi.

James Wade oedd enw cywir yr hen frawd. Aeth James yn "Jim", a Wade yn "Wâd" yn gynnar yn ei hanes. Ond wedi iddo heneiddio a thyfu barf y troes Jim yn "Shemi". Barf gadwynog, yn cylchu ei wyneb o glust i glust, oedd ganddo, a'i ddwy foch yn lân loyw, fel dwy ynys binc yng nghanol ewynlliw tonnau. Dyna'r unig fannau glân ar ei holl gorff, mi dybiaf; a hynny oherwydd ei awydd hunanol i ymgadw at ffasiwn hen benaethiaid y môr yr adeg honno.

Hen longwr oedd yntau hefyd, er na hwyliasai erioed o olwg tir ond yn y niwl. Mynnai, er hynny, i'r to ifanc gredu nad oedd gwlad dan haul nad ymwelsai ef â hi yn ystod ei fordeithiau. Ffrwyth y balchder mentrus hwnnw oedd gosod Indiaid Cochion yn Ynysoedd Fiji ac Escimoaid yn Neheubarth Affrica, a llawer anghaffael arall yng nghwrs y chwedlau annichon y mynnai ef i ni goelio eu bod "yn wir bob gair".

Yr wyf yn dra sicr ei fod ef ei hun — o'u mynych adrodd — yn eu coledd ar y diwedd fel ffeithiau; oblegid âi'n lled sarrug pan amlygid amheuaeth ynghylch geirwiredd ei straeon. Ei ffordd arferol o ddial oedd saethu bwled o sudd dybaco o'i enau yn syth i lygad yr amheuwr; ac ni welais i neb erioed a fedrai anelu poeryn gyda'r fath gywirdeb digamsyniol. Hen lanc ydoedd. Felly cafodd ddigon o ryddid i ymarfer â'r grefft hyd yn oed yn ei fwthyn. Yr oedd lloriau'r ddau ben — y gegin a'r "pen ucha", fel y gelwir yr

Shemi Wâd
(Llun gan C. Edwards, Abergwaun,
o gasgliad Amgueddfa Werin Cymru)

ystafell orau ym mythynnod Dyfed — yn batrymau poer myglys drostynt; a gellid tybio wrth y parwydydd hefyd, yma ac acw, iddo fod wrthi'n o ddyfal yn ymgyrraedd at berffeithrwydd. Fodd bynnag, yr oedd yn "saethwr" sicr odiaeth pan fynnai; a dim ond ynfytyn neu wrandawr dieithr — druan ohono! — a fentrai fradychu anghrediniaeth o fewn teirllath neu bedair i'w geg.

Mynnai inni hefyd ei ystyried yn gapten. Ond ni chododd yn uwch erioed ar y dŵr na bod yn berchen hen gwch pysgota y dibynnai ei fywoliaeth arno yn ystod ei flynyddoedd olaf ym mhentref ei febyd.

Rhyw stwlcyn byr ydoedd yn ymwisgo beunydd mewn siersi las a het *Souwester*, a sbwt o bibell glai, mor ddu â'i hen gwch tarrog, yn hongian, bowlen i waered, o gornel ei wefl.

Safai, fel rheol, ar ben Rhiw'r Post, a'i gefn at wal y pistyll, a'i ddwylo yng ngwaelodion llogellau ei lodrau hael; ac yno yr adlonnid y minteioedd â'i chwedlau amrywiol. Pan chwarddai, gwasgai lafnau ei ysgwyddau at ei gilydd a'u dirwyn o gwmpas ei wegil, malpai holl chwain y cread yn cnoi ei feingefn. Yn wir, yr oedd codi ei ysgwyddau at ei glustiau, yn enwedig wrth siarad, yn arfer ganddo; a chystal cydnabod mai'r chwain a gâi'r bai am yr anorffwystra hwnnw.

Un llyfr yn unig a welais i yn ei hofel gawliog; a hen esboniad melynlliw ar Lyfr y Datguddiad oedd hwnnw. Pan fentrais ei agor a throi ei ddalennau llaith, lliprynnaidd, cododd digon o dawch afiach ohono i roi'r fogfa i sgrâd — digon o brawf, feddyliwn i, nad o Ynys Batmos y caffai Shemi ei weledigaethau, er mor hedegog ei ffansi. Ei unig ddiddordeb yn y gyfrol oedd ei chloriau lledr. Arnynt yr hogai'r hen greadur ei raser bob yn ail fore.

Ôl ei gŷn ei hunan oedd ar ei greadigaethau oll; a'i hoffter pennaf oedd llunio rhamantau felly er diddori'r cwmni a gasglai o'i gwmpas wrth bistyll y pentref.

Cofiaf rai o'i straeon yn dda, yn enwedig stori "Canan Milffwrt", a medraf ei sgrifennu'n weddol agos at ei arddull ef. Ond ei glywed ef ei hun yn ei hadrodd — dan bwffian mwg a phoeri a chrechwen a dirwyn ei ysgwyddau; dyna'r ddrama fawr.

Wele'r stori, mor agos ag y gallaf, yn ei eiriau ef ei hun, gyda'r eglurhad mai yn nhafodiaith Dyfed y llefarai:

"Rown i'n fferst mêt ar y Royal Duke, llong fowr bedwar mast, a'i ffiger-hed hi gwmint beder gwaith — wel, gwmint *dair* gwaith, minno, — â'r Frenni Fowr. Fe landes un dwarnod yn Milffwrt. Wedd digon o arian 'da fi — 'y nghiflog, bid shŵr; ond yr own i wedi ca'l lot o berle hifid gida brenin y Fiji Islands am safio'i wraig e oddi wrth y Red Indians. Fe ath i natur fowr ata i ar ôl hinni — gweud 'mod i'n leico'i wraig e. Ond y gwir amdani yw taw hi wedd yn i'n leico *i*. Fe allwn weud lot; ond 'sdim ots am hinni'n awr. Ar ôl i'r hen frenin ddechre termo, fe redes bant o'r inis honno — nid am fod arna i ofon yr hen sgirmwgin; ond yr own i am stico at y perle. Fe'u gwerthes i nhw yn Falpareiso; ac fe gesum drigen punt amdenyn nhw . . .

"Wel, gan nad beth i fo, fe landes yn Milffwrt. Nawr ma' 'na ganans mowron yn Milffwrt oddi ar yr hen rifeloedd rhwng yr Eifftied a'r Cimri; a ma'u trwyne nhw'n pwynto mas i'r môr i gadw gelinion bant; nid fel ni ffor' hon — yn gadel y bae'n agwred i bob hen fforiner sy ishe dŵad miwn 'ma . . .

"A gweud y gwir yn blain, fe esum ar y sbri fowr yn Milffwrt — cwrdd â hen shipmets a hwn a'r llall; a chyn pen wsnoth, wedd 'da fi ddim ffirling goch yn 'y nghoden. Wel, cered o bwti'n awr, a meddwl am gatre 'ma, a chisho difalu shwt drafeilwn i'n ôl, a finne heb arian i dalu am y côtsh. Fe dda'th i'r glaw mowr hifid y nosweth honno, a dim gwely, wrth gwrs, i hen forwr heb senten yn 'i goden e . . . Jawch! Fe gofies, chi, am hen ganan mowr y gallwn i gwsgu indo. A dima fi ato, wedi iddi ddechre tiwillu, a saco 'nhrâd miwn ginta i'r mwswl, a gadel dim ond blân 'y nhrwyn i mas. Fe gwsges fel mochyn deiar . . .

"Ond dima fi'n ca'l hen freuddwyd cas — gweld brenin y Fijis wedi 'nala i a'n rhoi i i sefyll reit o'i flân e, a milodd o ddinion duon rownd abowt iddo, a drwm mowr ofnadwi 'da bob un. Dima'r hen frenin yn codi'i law'n sudan. 'Sgrwsh!' minte fe, felse fe'n rhoi rhyw snwshanad fowr. Gida hinni, dima'r milodd dinion — bob jac wan gyda'i gili — yn rhoi clatshen i'r tabirdde, a'r hen frenin, gida

141

hinni, yn cirradd cic ar 'y nghrwper i. Cic? Meddiliwch am bedwar cant o geffile yn gillwng mas atoch chi'r un pryd. Wel, tina shwt gic gesum i, nes own i'n hedfan trw'r awyr fel sgithan flwydd, a mynd a mynd a mynd heb argol stopo. Trwy drigaredd, wedd 'y mhen i mlân; ac fe allwn wrio taw deifo own i . . .

"Dima fi miwn i haid o frain, a'r rheini'n crowcan bwti 'mhen i ac yn cwmpo wrth y milodd gida shwt gered o'dd arna i. Miwn wedyn — *head on* — i gwmwl mowr o ddridws. Yr own i'n bluf ac yn stecs i gyd bwti 'mhen a 'nghluste, felse gwibed yn stico wrtho i. Ac wrth 'mod i'n crafu'r stecs o'm wmed, fe agores i'n lliged. 'Wel, jawch!' minte fi, 'Nid breuddwydo wdw i, ond mynd yn iawn trw'r awyr!' . . .

"Fe gofies wedyn, chi, 'u bod nhw'n seithu'r hen ganan mowr 'na bob bore i roi'r *Greenwich time* i'r *coastguards*. Wedd yr hen ganan hwnnw yn gallid towlu trigen milltir pan o'dd rhwbeth indo. A *fi* o'dd indo'r tro hyn! . . .

" 'Shwt dwa i'n ôl yr holl ffordd 'ma wedi i fi ddishgin,' minte fi, 'a dim in 'y nghoden i? A shwt stopa i o gwbl os na fwra i yn erbyn rhwbeth? Dim ond gwagle mowr sy fini fan hyn.' . . .

"Dima fi'n gweld twr eglws o 'mlân i. 'Os bwra i in erbyn hwn,' mintwn i, 'bydd hi'n dominô arna' i am weld gatre byth.' Dim ond 'i scapo fe nesum i; ond fe ddalodd blân 'y nhrŵed i yn yr hen geilog gwynt ar 'i ben e; a dima fe i lawr, dwmbwr-dambar, gida lot o gerrig a morter, ar ben 'y ffeirad, chi; a hwnnw'n gweiddi blw mwrder. Ond wedd 'da fi ddim amser i stopo i ecspleino dim. Sail on, wedd hi. Dim riffo'r hwyle tro hyn. Wedd e wedi meddwl taw eryr own i; achos cliwes i e'n gweiddi wrth rywun: 'Look! look! There's an eagle!' Gas e *eagle*! . . .

"Trwy drigaredd, dima 'mhen i miwn i dwmpyn o gwmwle o'dd wedi'u gwasgu at 'i gili fel sache gwlân. Fe iawnes, chi — y nhrâd i lawr a 'mhen i fini. Ond gida hinni, dina'n anal i mas trw dop 'y mhen i! Yr own i wedi cwmpo lawr yn sudan bwti dwy filltir, a dim byd 'da fi i ddala wrtho! . . .

"Beth nesum i'n awr ond agor 'y nghot fowr a dala 'mreiche mas fel pâr o adenydd. Fe dorro' hinni 'nghwdwm i . . . A lle i chi'n meddwl dishginnes i? Ar slip y leiffbot dan Ben Cw! Os nad i chi'n

142

'nghredu i, cerwch lawr 'na. Ma' ôl 'y nghlocs i yn y siment y finid hon. Newy' simento'r slip o'n nhw'r pryd hinni.''

Dyna'r stori. Mor argyhoeddiadol ei diwedd fel y bu chwilio dyfal am ôl clocs Shemi wrth "dŷ'r leiffbot", a'r plant yn darganfod y dystiolaeth mewn mannau lawer yr un pryd.

Dyma ychydig mwy o straeon y priodolir hwy i Shemi Wâd:

Adroddodd hanes am storm enbyd yng Ngwdig un tro. "Roedd y brain hyd yn oed yn ffaelu hedfan nôl i Gernowain — roedden nhw'n gorffod cerdded bob cam!"

★   ★   ★

Capten Bowen o Wdig yn gofyn iddo un diwrnod:
  "Wyt ti'n gwybod le o'n i neithiwr, Shemi?"
  "Nagw i."
  "Lan yn y llŵer yn bwrw hoelen drwyddi."
A mynte Shemi:
  "Dydi hynny ddim byd. O'n i 'rochor arall yn 'i chlensio hi."

★   ★   ★

Roedd Shemi wedi dala cranc mor fawr un tro roedd y gragen 'da fe o hyd — yn gysgod ar ben twlc mochyn.

Dro arall, roedd e wedi bod yn pysgota sgodan ac wedi dala, mynte fe, "stenyn oboiti bedwar ugien stôn, a phan towon e lan yn y cwch i'r Hen Draeth, agoron e. A be chi'n feddwl — wedd Jona y tu mewn iddo fe, yn fyw!"

★   ★   ★

Un tro fe ddaliodd frithyll braf, ond pan oedd e wrthi'n ei dynnu i'r lan, dyma hen grychydd mawr yn dod o rywle'n sydyn, "a mi lyncws y brithyll! A'r bach!" A'r peth nesa — yn lle bod Shemi'n tynnu'r crychydd i'r lan — roedd y crychydd yn tynnu Shemi druan drwy'r awyr, a thros y môr, ac yntau'n dal yn dynn yn y lein ac yn hongian fry uwchben yn y cymylau! Weithiau mi fyddai'r hen dderyn yn dechrau blino ac yn disgyn yn is ac yn is, a'r unig ffordd y gallodd Shemi ei arbed ei hun rhag syrthio i'r môr oedd clapio'i glocs er mwyn rhoi sbardun i'r crychydd ddal ati!

Ac felly y cas Shemi ei gario, pentigili, bob cam i Iwerddon. Ac wrth lanio, mi ddisgynnws ar graig fawr, ac roedd ôl ei draed e ar y graig honno'n amlwg, mynte fe, am flynyddoedd lawer! Roedd e wedi blino erbyn hyn, ond roedd e'n ffaelu'n lân â chael unlle i gysgu y noson honno. Toc, fe welodd hen ganon mawr ac fe aeth i mewn i hwnnw i gysgu'n drwm. Ond duwadd annwyl! roedd y canon yn barod i gael ei saethu y bore wedyn! Ac fe gas rhen Shemi ei saethu'n uchel i'r awyr. A wyddoch chi ble disgynnws e? Ie, ar Gei Gwdig — yn yr union fan, coeliwch chi neu beidio — lle buws yn pysgota!

Yn ôl un fersiwn arall ar y stori daeth Shemi'n ôl bob cam o Iwerddon dros y tonnau ar gefen cranc.

★　★　★

Shemi'n dweud wrth blant yn chwarae bwa saeth:

"Twt, twt! Ydach chi'n gwybod dim byd obeiti bwa saeth! Mae 'da fi fwa saeth gartre — chi'n gwybod ble mae nocer drws Capten Harries y Bont, wel, own i'n aros fan hyn, ac own i'n galled rhoid bob saeth i mewn i'r nocer!" Ac roedd hynny tua hanner milltir o ffordd!

★　★　★

Byddai Shemi'n defnyddio hoelion weithiau wrth saethu, yn wir nid oedd ei ddryll fel dryll pawb arall chwaith:

"A beth own i 'di wneud nawr — 'na le own i'n 'u maeddu nhw — o'n nhw i gyd â barel strêt, chi'n gweld, ond own i wedi twmo'r barel a'i thempro hi ac wedi'i throi hi damed. A phan own i'n saethu sgwarnog neu wningen own i'n gallu 'i tharo hi hyd yn oed wedi iddi droi'r gornel!"

Roedd y ci ar ôl sgwarnog un diwrnod ac yn mynd heibio coeden.

Taniodd Shemi ergyd, ac fe aeth y sgwarnog yn sownd yn y goeden! Sut hynny, meddech chi?

"O wel," mynte Shemi, "wedd yr hoelen wedi mynd trwy'i chwt hi ac i mewn i'r pren!"

★ ★ ★

"Wel, wel! fu ariod shwd beth! 'Na ganu glywes i neithiwr. Wen i'n gorfedd yn fy ngwely, a fe ddihunes lan wedi clywed sŵn y canu 'ma, chi'n gweld. A wên i'n ffaelu deall o ble wedd y canu ma'n dŵad. A fe druches ac fe wrandawes. A beth ti'n feddwl? 'Na le wedd hen whanen ar gefen matsien yn y pot o dan y gwely yn canu'r emyn:

'Yn y dyfroedd mawr a'r tonnau
Nid oes neb a ddeil fy mhen . . . ' "

★ ★ ★

Mae darn ychwanegol i hanes y bladur yn hollti'r ci'n ddau ddarn, dyma weddill y stori:-

"Fficses i 'rhen gi," mynte Shemi. "Wedd tamed o eli 'da fi yn fy mhoced ac fe gydies yn y ci cyn iddo farw, a fe roies yr eli arno, a fe'i gwnies e lan. Un mistêc wnes i — fe roies un ochor o'i ben blaen e le wedd ei gwt e i fod, ar ochr y pen arall — y pen ôl — le wedd ei ben blaen e fod! Ond chi'n gwybod, 'na'r ci gore fuo 'da fi eriôd, oherwydd wedd ddim ishie fe i droi i ddala sgwarnog o gwbwl — wedd e'n galler cydio ynddi bob ochor!"

Gruffydd Williams

Dyma rai o straeon Olwen Hills, Tregarth am ei hen daid, Gruffydd Williams, gŵr yn ei ddydd a fu'n gweini ffarmwrs yn Nyffryn Ogwen ac yn Eifionydd.

"Dew, fydda i'n trystio dim ar yr hen bethau swnllyd rheini

chwaith, mi ro'n i'n croesi am gapel Bryn 'Rodyn flynyddoedd yn ôl pan o'n i'n gweini tuag Eifionydd. Cerddad ar hyd y lein roeddwn i gael torri peth ar fy siwrna, ac mi glywais sŵn trên yn dŵad ac mi symudis i'r ochor iddi gael lle i basio; ond dyma fi'n sylweddoli fod 'na un o bob cyfeiriad ac y buasai yno ddamwain angeuol tasa nhw'n taro'i gilydd; felly dyma fi yn camu i'r canol ac efo fy nwy law yn gwthio yn erbyn y ddwy nes eu stopio — wyddoch chi, mi ges i fedal grand gin y king a the yn y plas a'r rhen Gwin Meri yn siarad efo fi fel tasa hi wedi'i magu tua Pont Tŷ Gwyn 'cw ac yn gofyn am Elin a'r genod 'cw.''

★ ★ ★

Dro arall, fe ddaethom i'r tŷ wedi pnawn ar draeth Dinas Dinlle a dyna lle roedd yn ei gornel yn sgwrsio'i hochor hi efo nain; ac wedi holi ble buom meddai, ''Cofio fy hun, achan, yn gwbyn tua'r pedair ar ddeg 'ma wedi mynd i lan y môr efo rhyw ddau ne dri o'r hogia. Wrth gwrs, nofio'n noeth lymun groen y byddan ni — doedd dim pres i gael y dillad ffansi 'ma sydd gin pawb heddiw. Roeddan wedi nofio am beth amser ac mynd braidd yn bell ac allan o'n dyfnder pan ddechreuodd un o'r hogia sgrechian wrth weld anfarth o siarc yn nofio atom — ond fel y gwyddoch yn iawn, fydda i byth yn panicio. 'Nes i ddim ond tynnu fy nghyllall bocad allan a'i sticio fo yn ei ochor ac yna ei agor fel pennog — roedd y môr yn goch. Tynnais raff allan a bu'r hogia a finna wrthi am gryn hanner awr yn ei halio i'r lan; wedyn dyma ei llnau yn lân a'i archwilio a choeliwch chi byth be gawsom ni yn ei fol — fy wats arian a honno ar amser yn berffaith a goriadau'r llofft ŷd — roeddwn wedi eu colli yno wrth nofio tua dau fis ynghynt.''

★ ★ ★

Y noson honno, gan ei bod yn wyliau ysgol cafodd Hŵal fy mrawd a minnau fynd am dro i'w ddanfon i gyfwr y ffrind oedd wedi dŵad ag o acw wrth basio i rywle. Wrth groesi'r Allt Ddu, cododd clamp o ysgyfarnog o'i gwâl a saethu ar draws y cae, ''Dew o weld honna, piti na fasa gin i jou o jiwing gym te," medda fo. "Dwi'n cofio'n iawn croesi cae Maes Caradog pan o'n i'n gweini tua'r Nant 'na flynyddoedd yn ôl a mi gododd un, yn union fel honna heno — mae nhw'n werth chwech yr un wyddoch — ond doedd gen i ddim gobaith ei dal ar droed, felly be 'nes i ond nelu y jou jiwing gym am ei thalcen a mi sticiodd yno — yn lwcus mi ddaeth un arall i'w hwyneb hi a chan fod fy un i wedi rhisio, mi grashiodd y ddwy a sticio'n sownd yn y gym — a mi ddalis inna'r ddwy cofia — gwerth swllt — dda'i gael o."

★ ★ ★

"A sôn am Elin (ei wraig) — tydach chi ddim yn ei chofio hi — rydw i wedi ei cholli ers pymtheg mlynedd bellach — hi oedd y ferch ddela wisgodd esgid erioed, er rwyt ti'n debyg iawn iddi hefyd. Mi gawsom ni briodi un pentymor a chael tridia o fis mêl — dim ond byddigions oedd yn cael mynd i ffwrdd yr amser hwnnw dalltwch. Ond roedd chwaer i dad Elin wedi priodi rhyw foi gwerthu llefrith tua Byrmingam 'na — ac ato fo 'raethon ni am dridia i fwrw swildod fel petai. Wyddoch chi, lle ar y naw ydi'r Byrmingam 'na — fuosi byth yno wedyn, pobol fel chwain ym mhob man a rheini bob lliw a llun a neb yn siarad Cymraeg — ond mi gawsom ni weld rhyfeddoda hefyd — roeddan ni yno wyddoch chi pan oedd y stemar fawr honno y Queen Mary yn docio yno am y tro cynta, ewadd roedd hi'n grand a'i phaent yn sgleinio i gyd a fflagia drosti."

★ ★ ★

""Radeg honno hefyd y prynais i'r sbeinglas 'na sydd ar ben y cloc; fel rwbath bach imi fy hun i gofio fel petai ynte — mae'n dal i weithio'n wych neno'r tad a welodd neb ei gwell hi: mi fydda i yn eistedd ar dop Mynydd Llandegai acw ar bnawnia braf i weld y wlad o gwmpas, a laweroedd o weithia rydw i wedi ei chodi hi at fy llygaid i weld y St Tudno yn nofio'n braf ar y Menai Strêts yna a chlywed y band yn chwarae'n glir ar ei bwrdd — mi wyddost mor ffond o fandia rydw i.''

★ ★ ★

"Mi fydda i wrth fy modd yn eistedd ar y topia acw i wylio'r cychod yn pasio hyd yr hen afon yna er nad oes gen i fawr ddim i'w ddweud wrth yr hen fôr 'na chwaith — ddim ers y storm fawr honno welais i pan o'n i'n hen gwbyn bach iawn. Aeth fy nhad a fi'n ei law pan oeddwn tua'r tair oed yma ar y creigia ym Moelfra i gael gweld y tonnau enfawr yn codi bron drostynt, a'r gwynt yn taflu'r trochion drostom — mi gofiaf byth yr arswyd a'm lloriodd pan ddaeth y llong fawr honno y *Royal Charter* i fewn ar frig un o'r tonnau a malu'n chwilfriw oddi tanom — rydw i'n dal i glywed y sgrechian a'r ochneidio pan gwyd y gwynt — ac mae arswyd rhag y môr arna i byth.''

Jac y Peinter a Dani Cole
Dau gymeriad o ardal Drefach — Felindre oedd John Thomas (Jac y Peinter) a Dani Cole (Jones). Cafwyd ychydig o'u straeon gan Peter Hughes Griffiths yn *Llafar Gwlad*. Dyma rai ohonynt.

Jac y Peinter
Fe fuodd Jac fyw am ychydig yn America, ac fel mae pob un o'r rheini a fu'n byw yno, mae'r duedd o orddisgrifio rhyfeddodau'r wlad yn fai cyffredin. Un o'r rheini oedd Jac.

"Chi'n gwbod bois,'' oedd ei ffordd arferol o arwain y cwmni yn y New Shop Inn, i'r wlad na wyddai bois ffatrïoedd gwlân glannau'r Bargod fawr iawn amdani.

"Chi'n gwbod bois, bydde nhw'n dechre gosod tato pen hyn i'r rych, ac erbyn iddyn nhw gyrraedd pen draw y rhych, o nhw'n tynnu'r tato newy' pen hyn. Na beth odd rhychie hir.''

148

"Chi'n gwbod bois, rodd un ardal yn America rodd y doctor odd 'na yn un mor dda, dodd neb yn marw. A chi'n gwbod beth bois, gorfod i Maer y lle saethu un boi cyn galle nhw agor mynwent newydd."

"Fe fues i yn America am thirty years," medde Jac un noson yng nghefn y neuadd filiards, "ro ni'n labro gyda Wimpey yn Aberystwyth am bymtheg mlyne cyn 'ny, a fues i'n was ffarm syth o'r ysgol am bum mlynedd ar hugen."

"A sawl blyne sy ers ych chi wedi bod yn beinter," gofynnodd crwt diniwed.

"Wi wedi bod yn peinto biti'r lle ma ers deugen mlyne," medda Jac.

Bu tipyn o dawelwch ar ôl y gosodiad olaf, a neb yn barod i ofyn y cwestiwn tyngedfennol.

"A beth yw'ch oedran chi nawr te Mr Thomas?"

Dani Cole

"O'dd moto beic da fi bois pan o'n i'n ifanc, un cythreulig o gloi. Pan o'n i'n dod getre ar 'i gefen o Gastell Newy i Bentrecagal ro'n i'n mynd heibio'r pyst telegraff mor gloi ro'n nhw'n edrych fel danne crib," oedd un o'i storïau sy'n dal ar lafar gwlad.

* * *

Roedd Hanna Jane, gwraig Dani, yn dishgwl ei babi cynta, ac ar ganol nos fe ddechreuodd y poene. Felly, doedd dim amdani ond mynd draw ar gefen y pwshbeic i Henllan i nôl Doctor Jenkins. Fe ath Dani draw i Drebedw, cnoco ar y doctor a nôl at Hanna Jane fel cath i gythrel, ac yna hongian y beic yn y sied tu cefen i'r tŷ a mewn at ei wraig ddisgwylgar.

"A chi'n gwbod beth bois," medde Dani, wrth adrodd yr hanes wrth y bois ar sêt Sgwâr y Gât yr wythnos wedyn,

"Pan godes i y bore wedyn a mynd i nôl côd tân o'r sied, rodd whils y biec yn dal i fynd rownd!"

Ffereta oedd un o hoff bethe Dani fel llawer un arall yn yr ardal.

Roedd ffereta a dal cwningod yn dderbyniol iawn, yn enwedig gyda phrinder cig yn ystod ac ar ôl y rhyfel.

"Bois," medde Dani, "wi'n cofio fferet fach gyda fi am flynydde. Rodd hi'n un fach dda a hithe a fine wedi dod i ddeall ein gili yn 'champion'. Ro'n i yn ei rhoi hi miwn yn y warin, ac os bydde cwningod yn y twll fe fydde hi yn dod mas a nodo'i phen, ac os nad odd cwningod yn y warin fe fydde hi'n dod mas a shiglo'i phen. Diawl, na'r fferet ore fuodd 'da fi eriod!"

Caneuon a Llenyddiaeth

Rhigymau a chaneuon gwerin
Dilynais awgrym y Dr Meredydd Evans ac edrych ar ganeuon
gwerin oedd yn adrodd straeon celwydd golau neu
'amhosibiliadau'. Dyma rai enghreifftiau o ganeuon a phenillion
sy'n dangos y math hwn o ganu.

Y Saith Rhyfeddod
Cynhwysir yma ddwy fersiwn o'r gân hon. Mae Merêd yn
awgrymu, hefyd, y gall y pennill am "Mi a glywais fod yr
hedydd/wedi marw ar y mynydd" fod yn perthyn i'r un teulu. Mae
cario hedydd gan "yrr o wŷr ac arfau" yn syniad "amhosibl".
Dyma'r ddwy fersiwn:

Y Saith Rhyfeddod (Fersiwn 1)

Fe glywais ddwedyd echdoe'r bore,
Fod llong o blwm yn nofio'r tonne;
A llong o bren yn mynd i'r gwaelod,
Dyna un o'r saith rhyfeddod.

Fe glywais ddwedyd fod y petris
Ar y traeth yn chwarae'n steilis,
Ac yn gwneuthur peli o dywod;
Dyna ddau o'r saith rhyfeddod.

Fe glywais ddwedyd fod y cryman
Yn y cae yn medi ei hunan,
Ac yn torri cefn mewn diwrnod;
Dyna dri o'r saith rhyfeddod.

Fe glywais ddwedyd fod y mochyn
Ar ben y car yn llwytho rhedyn,
Ac yn gwneud ei lwyth yn barod;
Dyna bedwar o'r saith rhyfeddod.

Fe glywais ddwedyd fod dylluan
Yn Llangollen yn dysgu darllen;

Ac yn medru ei gwers yn hynod;
Dyna bump o'r saith rhyfeddod.

Fe glywais ddwedyd fod y gloman
Ar y môr yn cadw tafarn,
A'i chwpan bach i brofi'r ddiod;
Dyna chwech o'r saith rhyfeddod.

Fe glywais ddwedyd fod y wennol
Ar y môr yn gosod pedol,
Â'i morthwyl aur a'i hengan arian;
A dyna'r saith rhyfeddod allan.

Y Saith Rhyfeddod (Fersiwn 2)

A mi a glywais fod y ceiliog
Ar y graig yn hela 'sgwarnog,
Ac yn dala un bob diwrnod;
Dyna un o'r saith rhyfeddod.

A mi a glywais fod y frân
Ar y môr yn chwalu gwlân,
Ac yn chwalu cnu mewn diwrnod;
Dyna ddau o'r saith rhyfeddod.

A mi a glywais fod y mochyn
Ar y môr yn canu'r delyn,
Ac yn clymu'r tant â'i dafod;
Dyna dri o'r saith rhyfeddod.

A mi a glywais fod pysgodyn
Yn y llwyn mewn twmpath eithin,
Ac yno'n byw ers dau ddiwrnod;
Dyna bedwar o'r saith rhyfeddod.

A mi a glywais fod yr eidion
Ar y môr yn nithio rhynion,
Ac yn berwi'r uwd yn barod;
Dyna bump o'r saith rhyfeddod.

Cân werin arall yn yr un traddodiad yw 'Y Lleuen'.

Cynhwysir yma y fersiwn a wnaed yn boblogaidd gan y grŵp gwerin 'Plethyn':-

Ar y ffordd wrth fynd i Lunden
Mi gwrddais â theiliwr bychan,
Mi drois fy ngolwg tua'r nen
Ac ar ei lawes mi weles luen.

Mi dynnes 'y mhistol allan,
Mi saethes hi yn ei thalcen,
Ac roedd ei thrwst yn dod i lawr
Fel ergyd fawr o ganon.

Mi dynnes 'y nghyllell allan
A'i blingo am dridie cyfan
O godiad haul hyd sêr y nen
Nes cyrraedd pen ei chynffon.

Fe aeth rhyw wagen heibio
Mi deflais ei chorff ar honno,
I ffwrdd i Lunden es â hi —
Ces ugain gini amdani.

Roedd pobol y lle cyn falched
O weled y cig cyn frased,
Yn holi hwn, a holi, holi llall
Ple magwyd y fath anifeilied.

Enghraifft arall yw'r gân a elwir yn 'gân crwtyn y gwartheg'. Dyma un fersiwn ohoni:

Mae gen i fuwch wynebwen lwyd,
Ia fuwch, wynebwen lwyd,
Mae gen i fuwch wynebwen lwyd,
Hi aiff i'r glwyd i ddodwy;
A'r iâr fach yn glaf ar lo,
Ie fyth, yn glaf ar lo;
A'r iâr fach yn glaf ar lo,
Ni aiff o 'ngho i 'leni!   Ton ton ton . . .

Saith o adar mân y to,
    Yn ffraeo wrth daflu disiau,
A'r dylluan â'i phig gam,
    Yn chwerthin am eu pennau.

★ ★ ★

Mae gen i 'sgwarnog gota goch,
    A dwygloch wrthi'n canu
A dau faen melin yw ei phwn
    Yn maeddu milgwn Cymru.

★ ★ ★

Cân werin a glywir yn aml yw 'Deryn y Bwn o'r Banna' sy'n sôn am yr aderyn yn cario afalau i Farchnad Caer.

Deryn y Bwn a gododd
Y 'fala i gyd a gariodd
Dros y Banna i farchnad Caer,   bwm, bwm,
Ac yno'n daer fe'u gwerthodd.

★ ★ ★

Ceir llawer o rigymau a phenillion yn yr un traddodiad hefyd. Dyma rai ohonynt:

Mi welis i be' na welodd pawb,
Sef cwd a blawd yn cerdded
Yr adar mân yn toi y tô
A'r malwod yn gweu melfad
A bachgen bach yn llai na fi
Yn llyncu tri dyniawad.

★ ★ ★

Robin Goch ym mhlwy' Rhiwabon,
Lyncodd bâr o fachau crochon,
Bu'n edifar ganddo ganwaith,
Eisieu llyncu llai ar unwaith.

★   ★   ★

Aeth Ifan y Gelli, 'Robin Busnes' y fro,
Yn chwil gan amheuon i'r lleuad am dro;
A phwy welodd yno ond ei hendaid o'r Rhos
Mewn dŵr sebon meddal yn golchi ei glôs.

★   ★   ★

Anhygoel o denau oedd caseg Pen Bryn,
Ei 'sennau fel telyn, a'i blewyn yn wyn;
Ond fe'i gwerthwyd yn rhadlon i Elis Pwll Pridd
I wneud rhesal defaid wrth gorlan y ffridd.

★   ★   ★

Clywodd Steffan ab Owain y penillion canlynol yn cael eu hadrodd
gan gyfaill iddo yn 'Stiniog. Ni wyddai enw'r awdur.

Mae popeth yn yr Amerig
Yn fwy na'r byd i gyd,
Pe buasai'r byd yn faban
Amerig a fuasai'r crud.

Mae llygod bach Amerig
Yn fwy na llygod mawr,
A llawer llanc o hogyn
Yn ganmil fwy na chawr.

Mae nodwydd ddur Amerig
A thwnnel yn ei chrai
Sibrydwch hyn yn ddistaw
Yng nghlustiau Trebor Mai.

Mae meysydd mwyaf Cymru
Fel gwely nionod bron
Yn ymyl meysydd eang
Y wlad dragwyddol hon.

Rwyf innau wedi tyfu
Yn fwy na fi fy hun
A phe bai Cymru'n albwm
Ni fedrai ddal fy llun.

★　★　★

Dyma gwpled gan Jac Creiglan Conwy (o Fetws-y-coed) am un o
amffibiaid y wlad fawr honno:

Mae llyffant yn 'Merica, cymaint â llo,
A'i grawciad ar foncyff yn dychryn y fro.

★　★　★

Canodd Ceiriog gerddi digrif. Yn eu plith mae 'Pastai Eisteddfod
Fawr Llangollen', rhyw fath o foliant i fwyd 'Desperate Dan',
efallai?

Pastai Eisteddfod Fawr Llangollen

Yr oedd fy nhad yn llipryn main,
　　A nain fy nain yn hogen;
Yr oeddwn innau bron yn ddyn,
　　Yn mynd ar un ar hugen,
Yn *eighteen hundred and fifty* wyth
　　Yn 'Steddfod Fawr Llangollen.

O gydymdeimlad at y beirdd
　　A gafodd siomedigaeth,
Ac o lawenydd at y lleill
　　A gafodd fuddugoliaeth,
Gwnaed pastai o anferthol faint
　　I'r saint a'r holl frawdoliaeth.

Aeth deunaw cant o wyau ieir,
  A phedair twn o dripyn —
  (Ac yr oedd hynny'n dipyn)
Aeth mil a chwech o wyau chwid —
  Rhyw lawer byd o fenyn,
A phedair sach ar ddeg o flawd
  I ddim ond gwneud y crystyn.

Does neb yn gwybod pa sawl buwch
  O'r herwydd gadd ei darnio —
Does neb yn gwybod rhif yr ŵyn
  A'r geifr a ga'dd eu blingo —
Na pha sawl ci, na pha sawl gast,
  Oedd yn y bastai honno.

Ond anghofiasom ddweud o'r bron
  Fod mil o benwaig cochion
Yn berwi yn y bastai hon,
  A deugain llwyth o gloron;
A gwynt y rhain gynhyrfodd Pat
  Am 'Steddfod yn 'Werddon.

Yr oedd y bastai medden nhw
  A *nhw* sy'n hollwybodol,
Yn hanner milltir ar ei thraws,
  A'i thrwch yn oraruthrol —
Ac ni allesid gweld ei thop
  Heb delisgop seryddol.

Daeth dyn o Ffrainc i ddringo'i phen
  Ac efo cant o bobol;
A dringo buont bedwar mis,
  O ris i ris Alpyddol —
Ac yna hyrddiwyd oll i lawr
  Gan ddarn o eira oesol.

Am nad oedd lle i grasu hon,
   Fe'i berwyd yn Llyn Tegid,
Ar ôl i Fwlcan daro match
   Yng nghwt yr Aran fflamllyd:
Os aeth y bastai yn rhy wleb
   Ni chlywais neb yn dwedyd.

Ond berwi, berwi, berwi bu
   Am bedwar dydd ar hugain,
Nes oedd y dŵr yn rhuo'n groch,
   A'r tir mewn ofn yn ochain —
A chodai'r ager llaith o'r llyn
   Yn darth tros Ynys Brydain.

Ond wrth ei berwi hi mor hir
   Fe chwyddodd filltir gyfan,
Nes aeth mor dynn ym mol y llyn
   Na chafwyd moni allan —
A chlywais nain fy nhaid yn dweud
   Mai yno mae hi rŵan.

Ceiriog

Y Deryn Mawr (Marc tŵ)

Yn y gyfrol *Dychweliad y Deryn Mawr* mae John E. Williams yn troi eto at y traddodiad celwydd golau gan adrodd ambell stori yn null Gruffydd Jones y Deryn Mawr. Dyma un o'r ysgrifau:

Adar Mawr

Mae 'na rai yn dal ar gael sy'n mynnu fod mantell Griffith Jones, y Deryn Mawr neu'r Barwn Munchausen wedi syrthio arnaf i. Gobeithio mai camsyniad maen nhw; mae o'n gyfrifoldab rhy arswydus i'w goleddu. Dyna pam y byddaf yn falch o daro ar rai eraill sydd â mwy o gymhwysdar i ysgwyddo'r baich a'r traddodiad. Mi ddois ar draws un felly mewn siop fferyllydd yn y dre ers dim llawar.

Roedd ganddo fo fagiau negas yn hongian arno fo ymhob man, nes yr oedd o'n edrach fel buwch isio'i godro. Dyma fo'n gollwng ei hun yn glec i ista wrth f'ochr i.

"Ddaru ti ddim digwydd gweld yr hen wraig acw hyd y fan yma yn rhywla?" medda fo heb ragymadrodd.

"Naddo," medda finna, er faswn i ddim yn ei nabod hi taswn i'n taro fy nhalcan ynddi hi.

"Mi rydw i'n dechra cael byda hefo hi, ysti," medda fo.

"O. Be sy wedi dŵad iddi felly?" medda finna.

"Roeddwn i yn y dre 'ma hefo hi y diwrnod o'r blaen — o flaen siop William John Ŵan yn fan yna. Ac mi roeddwn i'n meddwl fy mod i wedi clywad rhyw glec, ac mi sylwais ei bod hi natur dŵad ar ei hwynab, a dyma fi'n mynd â hi i'r tŷ byta am banad i edrach fasa hynny'n fflonsio rywfaint arni hi. Ond erbyn gweld beth oedd y matar, roedd cortyn ei staes hi wedi torri."

"Be wnaethoch chi?" medda fi, o ddiffyg dim callach i'w ddweud, er ei bod hi'n amlwg erbyn hynny nad oedd o angan ei borthi.

"Mi es â hi i'r siop staesys ar ei hunion, ac mi roedd yna ddwy neu dair o genod yn y fan honno o'i chwmpas hi. 'Fedrwch chi neud rhwbath iddi?' medda fi wrthyn nhw, 'iddi ddal wrth ei gilydd i fynd adra.' A dyma nhw yn mynd â hi i ryw dent i ben draw'r siop i gael ati hi, ac yno y buon nhw am sbel. Yn y diwadd dyma un o'r genod allan ata i. 'Does 'na fawr fedran ni neud iddi hi mae arna i ofn,' medda hi fel yna. 'Maen nhw wedi rhoi'r gora i neud staesys fel yna ers cyn y rhyfal cynta.'

"Wyddwn i ddim be i neud wedyn, a dyma fi'n gofyn am weld y manijar — dyn bach neis. A dyma fo'n sbio ar yr hen fusus oedd erbyn hyn wedi dŵad allan o'r dent, a dyma fo yn mynd â fi o'r naill du. 'Y peth gora fedrwch chi neud hefo hi rŵan,' medda fo, 'nes y daw ei mesura hi drwadd, ydy chwipio darn o weiran blaen amdani i'w dal hi i mewn.' 'Lle caf i beth felly?' medda finna. 'Triwch yr eiornmyngar,' medda fo fel 'na.

"Wel, mi ges stagar i'w chael hi cyn bellad â'r fan honno. Roedd hi fwy o natur dŵad ar ei hwynab os rhywbath, a dyma fi'n ei gadael hi y tu allan i bwyso ar bolyn teligram. Ond erbyn gweld doedd ganddyn nhw ddim byd yn y siop honno ond weiran i gau rhag defaid, ac mi fuo raid i mi setlo am rowlyn o honno, ac erbyn i mi fynd allan wedyn, dyna lle'r oedd yr hen wraig yn fflat ar lawr, ac mi ges styrffág i'w chael hi ar ei thraed. Wedyn, roedd yn rhaid i mi fynd â hi i rywla o fysg pobol i roi'r weiran amdani. Mi ces hi i lawr ar y cei yn y diwadd, ond mi ges fyda. Wn i ddim be fasa wedi dŵad ohona i chwaith, heblaw i ryw ddau hogyn oddi ar y cwch 'sgota ddigwydd dŵad heibio a fy ngweld i yn y fan honno yn bystachu hefo hi, a dŵad yno a'i dal hi i lawr ar ryw fainc."

Ar hynny dyma ryw ddyn mewn côt wen yn rhoi'i ben rownd palis y siop fferyllydd. "Disgwyl am bils ydach chi?" medda fo.

"Na, dim ond rhoi ein clunia i lawr am funud," medda fi.

"Sgynnoch chi ddim hawl i fod yn y fan yna," medda fo, "os nad ydach chi isio pils."

Trodd y traethodydd ataf i. "Paid â gwrando arno fo," medda fo. "Ŵyr o ddim am bils mwy na chath fôr am foto-beics. Ar y lein roedd o, ysti, nes y cafodd o dynnu'i gôt."

"Tewch â deud."

"Ia'n tad. Roedd o'n gweithio mewn bocs signals ar y lein fawr tu draw i Rhyl yn y fan yna. Rhyw stesion bach oedd hi, ysti. Mae'n siŵr ei bod hi wedi cau erbyn hyn. Doedd y trêns mawr 'na ddim yn stopio yno yr adag honno hyd yn oed. A ryw noson, mi dynnodd y lifar rong, beth bynnag. Mi yrrodd ddwy *Irish Mail* i wyneba'i gilydd nes yr oeddan nhw yn fflat fel dau bisin hannar coron; frifodd 'na neb chwaith, wrth lwc. Peth rhyfadd na fasat ti wedi clywad amdano fo. Roedd o yn y papura 'na i gyd yr adag honno."

"Sut y buo hi arno fo?" medda fi.

"Mi ddaru nhw chwilio i mewn i'w achos o fel y byddan nhw ar ôl rhyw helyntion fel yna, ac erbyn i betha ddŵad allan, dyma nhw'n ffendio fod gynno fo hogan hefo fo yn y bocs, a heblaw i honno ddŵad ymlaen i roi tystiolaeth, mi allasa fod wedi bod yn waeth arno fo."

"Be oedd ganddi hi i ddeud?"

"Deud wnaeth hi fod y ddwy drên wedi dŵad ar ei bac o pan oedd o leia yn eu disgwyl nhw wyt ti'n gweld, ac wedyn mi gollodd ei ben. Mi fachodd ei ddillad o, a dyma fo'n cythru i rywbath agosa i law i'w arbad ei hun."

"Be oedd ganddyn nhw i ddeud am hynny?"

"Mi yrrwyd o i ryw stesion bach i fyny'r wlad 'na wedyn i bwnshio ticedi. Roedd o yng ngolwg y Stesion Mastar yn y fan honno, wyt ti'n gweld, rhag iddo fo fynd i ddechra pwnshio merchad."

Dyma'r storïwr wedyn yn tynnu slab hannar pwys o sioclad o'i bocad. "Gymeri di jou o hwn?" gofynnodd gan dynnu'r papur gloyw yn ofalus a'i blygu.

"Fydd gen i fawr o daro amdano fo," medda fi.

"Na finna chwaith, fachgan," medda fo gan sodro talbo yn ei geg. "Hwn ydw i isio, yli," a dangosodd y papur.

"Gneud arian drwg ydach chi?"

'Ñaci, fachgan. Mi rydw i ar hannar gneud siwt hefo fo. Does gen i ddim ond darn o lawas eto isio'i gneud."

"Duwcs. Trio cymryd lle Liberace ydach chi?"

"At y gaea, wyddost ti. Mae o'r stwff gora gei di i gadw'n gynnas. Mi fydda i ofn gynddeiriog cael y thermoffobia 'ma. Dyna i ti beth sy'n mynd â miloedd o'ma bob gaea. Yr unig ddrwg ydy — mae siwt bapur gloyw y peth gwaetha gei di ar derfysg. Mae o'n beth siort gynta am dynnu mellt. Mi rydw i'n cofio cael fy nal mewn storm o fellt a finna mewn gwasgod felly ryw dro. Wyddost ti be?

Roeddan nhw yn gwibio hyd'dda i ymhob man, ac erbyn i mi gyrraedd adra, roeddwn i fel taswn i wedi dŵad â hynny o fellt oedd ar gael hefo fi, ac mi roeddwn i fel taswn i yn anadlu mellt."

"Be neuthoch chi?"

"Mi dynnis 'y ngwasgod a'i sodro hi ar gefn y drws. Wyddost ti be? Roedd hi'n goleuo fel leit-hows am wythnosa. Mi fuo yn arbediad mawr ar y bil letrig."

"Mi fuoch yn lwcus na chawsoch chi ddim o'ch llosgi," medda fi.

"Wel do, fachgan. Ond mi rydw i wedi taro ar feddyginiaeth i hynny."

"Be sgynnoch chi?"

"Mi rydw i wedi gneud cynffon bapur arian i lusgo ar fy ôl i hyd lawr, wyt ti'n gweld. Mae honno yn eu daearu nhw."

Ar hynny dyma ni'n clywad rhyw lais.

"Ydach chi'n dŵad, Hiwi, rhag ofn i ni golli'r Moto Glas?" A beth ddaeth rownd y gongl ond yr hen wraig ei hun yn flinderog ac yn llwythog hefo 'chwanag o fagia' negas. Dyma'r hen fachgan yn hel ei bethau at ei gilydd a chodi.

"Mi fydd yn well i mi fynd, ysti," medda fo gan daro gweddill y sioclad yn ei geg, "neu fydd yna ddim taw arni hi. Mae hi'n edrach yn ddigon sad, fasat ti ddim yn deud, a chysidro mai weiran sy'n ei dal hi wrth ei gilydd."

"Ydy'n tad. Wel, da boch chi rŵan."

"So long," medda fo, ond roedd yna un ergyd fechan arall heb ei thanio. "Yr unig beth ydy, mae'n rhaid i mi gymryd gefail bedoli ati hi i'w daffod hi yn y nos."

Fel y dywedais i; mae'n dda fod yna rywun arall yn cario'r traddodiad.

Helyntion Twm Llongwr

Straeon oedd y rhain a gyhoeddwyd yn wreiddiol yn y cylchgrawn campus *Blodau'r Ffair* a gyhoeddwyd gan yr Urdd yn y pumdegau a'r chwedegau. Fe gasglwyd y straeon at ei gilydd a'u cyhoeddi'n llyfr o dan y pennawd *Helyntion Twm Llongwr* yn 1960. J. O. Williams oedd awdur y straeon a dyma enghraifft:

Twm a'r llygod mawr

Un rhyfedd oedd Twm Llongwr. Doedd neb yn gwybod yn iawn pwy oedd o nac o ble y daeth o; ond yr oedd pawb yn gwybod mai ar y môr ac mewn gwledydd pell y buo fo. Lliw haul poeth y gwledydd pell oedd ar ei wyneb o; a lluniau anifeiliaid, adar a nadroedd o'r gwledydd pell oedd yn las tros groen melyn ei frest a'i gefn. A lluniau da oedd rhai ohonyn nhw hefyd, yn enwedig un oedd ar ei fraich chwith. Llun neidr mewn lliw melyn a gwyrdd a smotiau du drosti, yn clymu rownd ei fraich oedd hwnnw, a mwnci bach ar ben ei ysgwydd yn edrych yn syfrdanol i lawr arni. Llun angor mawr oedd ar ei fraich dde, a chadwyn yn mynd rownd honno, tros ei ysgwydd ac i mewn i flaen llong fawr grand oedd yn blastar ar ei gefn. Enw'r llong oedd *Goodbye Nel*. Pam yr enw yma, dwn i ddim yn iawn: ond dyna'r enw oedd yn las ar ei blaen hi — ar ei bow, chwedl Twm. A be ddyliech chi oedd ar ei frest o? Llun eliffant mawr yn rhoi 'i droed ar deigar ac yn codi hogyn bach ar ei gefn efo'i drwnc.

Roedd hi'n werth gweld Twm Llongwr yn hanner noeth ar ddiwrnod poeth yn yr haf: ond ei glywed o'n dweud straeon oedd y peth gorau; a straeon am y gwledydd pell oedd ganddo fo bob amser. Mi fyddai pawb wrth eu bodd pan fyddai Twm yn crafu'i wddw, a thynnu'i law fawr, frown dros ei wyneb — arwydd bob amser y byddai stori ar gychwyn.

Wel i chi, roedd hi'n gynhaeaf ŷd pan welwyd Twm gyntaf yn ardal Glan Morfa, ac ar noson braf ym mis Medi y curodd o wrth ddrws ffarm fawr Bryn Tywyn i ofyn am waith efo'r cynhaeaf. Wrth weld dyn mawr cryf yn sefyll o'i flaen pan agorodd Ifan Pyrs, y ffarmwr, y drws, ac Ifan Pyrs yn brin o ddynion i weithio yn yr ŷd, mi gafodd Twm waith yn ddidrafferth.

Roedd yno hen was arall yn ffarm Bryn Tywyn, wedi bod yno ar hyd ei oes, a heb fod yn unlle arall. Siôn Wmffra oedd ei enw, ac ar Siôn Wmffra y byddai Twm yn edrych wrth ddweud ei straeon, a Siôn Wmffra yn edrych yn syn ar Twm — ei ddau lygad yn fawr, ac yn sgleinio fel gwydr watsh, a'i ddwy glust yn dod allan yn syth o dan cnwd ei wallt, a'i dafod goch yn hongian dros ben ei locsyn.

"'Dawn i byth o'r fan 'ma," meddai Siôn Wmffra un gyda'r nos yn fuan ar ôl i Twm Llongwr ddod i Bryn Tywyn.

"'Welis i rioed gymint o lygod mawr o gwmpas y sgubor 'na ag a welis i heddiw. Roeddan nhw o gwmpas 'yn traed ni ymhob man — hen gnafon mawr ffyrnig hefyd. Wch a fi!"

"Llygod mawr ddeudis di, Siôn," meddai Twm yn hamddenol, dan grafu ei wddw a thynnu'i law dros ei wyneb. "Mi welis inna ryw hanner dwsin ohonyn nhw, a wir, 'rhen Siôn, llygod bach iawn faswn i'n 'u galw nhw wrth gofio am y llygod a welis i yn y gwledydd pell 'na. Ew! dyna chi lle mae llygod, ffrindia," meddai wedyn, wrth droi atom ni, dri ohonom, a oedd yn digwydd bod wrth ei ymyl ar y pryd.

"Fachgen, fachgen," meddai Siôn, yn closio'n nes at Twm, ac yn estyn ei dafod allan. "Sut rai oedd rheini, Twm?"

"Fel hyn y buo hi Siôn," meddai Twm Llongwr, ac yn ail osod ei hunan ar ei stôl. "Fel hyn y digwyddodd hi, ffrindia.

"Rydw i'n cofio'n iawn fel yr es i ar goll un tro yn y gwledydd pell 'na. Roeddwn i wedi bod yn cerdded a cherdded, 'dach chi'n gweld, am ddyrnodia, trwy goedwig fawr, a'r coed yno yn fwy o lawer na'r coed sy ffordd yma. Twt! dydi'r rhain ond fel coesau gwlydd tatws wrth ymyl y coed rheini. Roeddwn i heb ddim i'w fwyta nac i'w yfed, ond tipyn o ffrwythau a dail oedd ar y coed o'n i'n 'u nabod. Roedd hi'n drybeilig o boeth, a phetawn i heb fedru cael cysgod y coed mi fasa'r haul wedi fy rhostio i. A deud y gwir, wyddwn i ddim lle'r oeddwn i; ond yn sydyn dyma fi'n cyrraedd at lan afon fawr, lydan, a'r coed yn dew o'i chwmpas. 'Wel Twm,' medda fi wrtha fy hun, 'be wnei di rŵan?' 'Ei chroesi hi, siŵr iawn,' medda fi wedyn. Ond sut, ffrindia? Ia, sut a finnau'n gweld snowtyn ambell hen grocodeil yn dangos allan o'r dŵr, ac yn mynd o'r golwg wedyn. Wel i chi, dyna lle'r o'wn i'n pendroni yn y fan honno, ac yn methu gwybod beth i'w wneud yn iawn. Roeddwn i jest a mentro i'r dŵr, a'i nofio drosodd. Ond diaist-i! dyna snowtiau dau ne' dri o hen grocodeils hyll yn torri allan o'r dŵr reit o 'mlaen i. 'Ara deg, was i,' meddwn i wedyn wrtha fy hun. 'Ara deg, pia hi, Twm.' Ond fel yr o'n i'n cerdded yn ôl ac ymlaen ar lan yr afon honno, dyma fi'n clywed sŵn rhyfedd ymhell yn y coed o'r tu ôl i mi, a'r sŵn yn dŵad yn nes, nes o hyd, ac yn gryfach; a hwnnw i ddechrau, fel sŵn gwynt yn chwythu'n ysgafn trwy ddail y coed; ond doedd 'na'r un ddeilen yn symud, na'r un awel yn chwythu. Roedd pob man yn berffaith lonydd. Dyma fi'n troi odd' wrth yr afon i edrach be welwn i, a be oedd yn gwneud y sŵn sio rhyfedd. Siôn Wmffra, mi ddychrinis i am fy mywyd, do'n wir! Roedd y ddaear o dan y coed yn symud i gyfeiriad yr afon. A wyddoch chi be oedd 'no, ffrindia? Wel cannoedd a miloedd o lygod mawr — llygod mawr go iawn, cofiwch chi, cymint a chŵn — yn symud efo'i gilydd am yr afon, ac ataf fi, wrth gwrs. Yn y fan, mi gofis imi glywed fel y bydd llygod mawr yn newid eu lle o dro i dro, ac yn symud efo'i gilydd fesul cannoedd, a lwc owt i bwy bynnag a fyddai ar eu ffordd yr adeg honno.

"A dyna lle'r oeddwn i, Twm Llongwr, ar ben fy hun, ac ar goll

yn y goedwig fawr honno; afon lydan yn llawn o grocodeils o 'mlaen
i, a miloedd o lygod mawr ffyrnig yn cau amdana i — ia, cymint â
chŵn, ffrindia, nid rhyw bitws o betha fel rheina a welodd Siôn
Wmffra o gwmpas y sgubor 'na. Ew! ia.

"Roedd yn rhaid imi wneud rhywbeth yn reit sydyn; roedden
nhw o fewn ychydig lathenni imi, ac mi clywn nhw'n hysian ag yn
clecian 'u dannedd wrth fy ngweld i. Yn syth dyma fi a naid am y
goeden agosa ata i, ac yn dechrau 'i dringo hynny fedrwn i. Fel ro'n
i'n stryffaglio i fyny drwy'r brigau mi glywn y llygod yn disgyn yn
swalp, swalp, swalp, un ar ôl y llall i'r afon. Pan feddylis i 'mod i'n
ddigon uchel a chlir, dyma fi'n eistedd ar frigyn yn y fan honno ac
yn edrach i lawr. Ffrindia bach, dyna ichi olwg a ges i. Roedd y
ddaear o gwmpas yn fyw i gyd, a welwn i ddim o ddŵr yr afon gan
lygod oedd yn nofio ar 'i thraws hi — a dyna chi nofiwrs ydi llygod
mawr y gwledydd pell 'na. Ac am y crocodeils, roedd rheini wedi
dychryn am wn i, ac wedi sincio o'r golwg i rywle. Y llygod mawr
oedd bia'r afon y pnawn hwnnw.

"Ond dyma fi'n cael syniad sydyn. 'Twm,' medda fi wrtha
f'hun, 'dyma dy siawns di,' ac i lawr o'r goeden â mi, a chyn
cyrraedd y gwaelod dyma fi a naid i'r afon ar gefn un o'r llygod
agosa ata i, a naid ar gefn un arall ac un arall wedyn. Ia wir, neidio
o'r naill un i'r llall wnes i, a'r rheini'n gwau drwy'i gilydd fel
morgrug. Ond dim ots! mi fedris i groesi'r hen afon lydan honno

heb wlychu o gwbl. Ond ffrindia, sut yr o'n i'n mynd i gyrraedd i'r tir yr ochr arall heb imi orfod mynd i ganol y llygod mawr wedyn, a chael fy llarpio ganddyn nhw yn y fan honno? Wel, mi ddeuda wrthoch chi. Roedd 'na goed mawr o bob siâp yr ochr honno hefyd, ac fel ro'n i'n cyrraedd y lan ar gefn clampen o lygoden, dyma fi'n rhoi un sbonc oddi ar ei chefn am y brigyn agosa ata i, a oedd yn hongian fel rhaff dew wrth ben y dŵr, ac i fyny a fi ar ei hyd o, fel taswn i'n dringo mast llong ar y môr — llongwr ydw i, 'dach chi'n gweld — ac i ganol y goeden honno wedyn. A dyna lle'r o'n i'n berffaith saff yn gweld y llygod yn dal i ddŵad yn un llwybr du ar draws yr afon, yn glanio otana i, ac yn ail gychwyn drwy'r goedwig. Ond yr arswyd fawr! be welwn i ond y brigyn y dringis i ar ei hyd o yn dechrau symud yn araf, araf, yn ôl a blaen fel pendil cloc. Yn sydyn, dyma'i flaen o'n slipio i'r dŵr, a dyma sgrech dros bob man, a blaen y brigyn yn troi, a llygoden yn sownd ynddo fo. Siôn Wmffra! wyddoch chi be oedd y brigyn hwnnw? Hen neidr fawr yn hongian uwch ben y dŵr, ac yn cysgu, a finna wedi dringo i fyny ar hyd'ddi heb iddi ddeffro o gwbl wrth lwc, neu faswn i ddim yn Mryn Tywyn 'ma heddiw. Na faswn, yn wir i chi."

"Yr achlod fawr! 'Dawn i byth o'r fan 'ma! chlywais i rotsiwn beth erioed," meddai Siôn Wmffra, ei ddau lygad yn fawr a llonydd, a'i dafod yn hongian yn wlyb dros dop ei locsyn.

"A mi ddeuda i beth arall wrthoch chi, ffrindiau," meddai Twm Llongwr wedyn. Ac yn tynnu'i law tros ei wyneb. "Fel ro'n i'n neidio dros y llygod yn yr afon, be welwn i'n sbecian yn slei arna i yma ac acw o'r dŵr ond rhai o'r hen grocodeils rheini. Roedd 'u snowtia nhw allan, a'u cegau yn hanner agored, a'u llygada nhw'n hollol groes. Wyddoch chi roedden nhw wedi dychryn am 'u bywyd wrth weld peth na welson nhw erioed mono o'r blaen — gweld dyn yn croesi'r afon ar gefn llygod mawr.

"Ia wir, dyna sut betha sy yn y gwledydd pell 'na ffrindia. Fasa ti'n leicio mynd yno, Siôn Wmffra?"

"Gwarchod pawb! Rarswyd annwyl! na faswn byth, Twm Llongwr."

Dafi Chicago ac Eraill

Cyfres arall o straeon a ymddangosodd yn *Blodau'r Ffair* oedd straeon "Dafi Chicago" gan Emlyn Aman. Dyma un ohonynt:

Dafi Chicago

Twm Llongwr tir sych — Dafi Chicago. Ie, Dafi Chicago, a fu ar ei deithiau am flwyddyn drwy'r America ddiwedd y ganrif ddiwethaf ac a welodd fwy o ryfeddodau yno yn y cyfnod hwnnw nag a welodd neb dyn na chynt na chwedyn.

Wedi iddo ddychwelyd i'w gynefin, ni buom ni'r crots fawr o dro cyn deall bod gan Dafi Chicago bentwr dihysbydd o straeon yn stôr, ac ni fethodd yntau gymaint ag unwaith ag arlwyo gwledd fras o'n blaenau pan elem ar ei ofyn. Cawsem ganddo hanesion diddorol am y lleoedd o rifedi gannoedd y bu'n byw ynddynt, a gwasgai arnom i beidio ag ailadrodd dim a ddywedai oherwydd bod y bobol "sy ddim wedi bod o olwg 'u simne mor anwybodus ac yn gallu bod mor od."

Cofiai yn fanwl iawn bob dim a ddigwyddodd a phopeth a welodd ar ei deithiau. Er enghraifft, yr union amser a gymerai crefftwyr America i godi tai yno. Dechreuent agor trensh hir, rhyw chwarter milltir o hyd, ar gyfer y sylfeini pan âi ef at ei waith yn y bore, a phan ddychwelai'n hwyr y prynhawn "roedd 'na ffwdan ofnadw, wel di, — rhai'n ca'l 'u twlu mas am b'ido talu'r rhent, a rhai erill yn rhoi notis i fad'el achos bod nhw'n ffili â byw gyda'r chwilennod duon (blac-pads oedd ei enw ef arnynt). Rhai o'r rheini cyment o seis â brwshis blac-led." (Y mae'n flin gennyf, oherwydd diffyg gofod, nad oes gyfle i esbonio i ferched ifainc heddiw beth yw brwshis blac-led.)

Ond am fanylder ei gof, rhaid ceisio disgrifio'r tro hwnnw yr aeth i weld Ffair y Byd yn Chicago. "O'dd honno'n ffair fawr, Dafi?" meddwn i wrtho.

"Wel, na, ddim cyment â hynny, chwaith. Fe gawset drên yn y bore am hanner awr wedi saith i fynd rownd iddi — spesial trên, wrth gwrs — ac yna, fe fydde'n dod 'nôl tua deg y nos. Ar ôl gneud tri thrip fel'ny, fe fydde siawns go dda gen ti weld tipyn ohoni. Na, wedswn i nad o'dd hi ddim cyment â hynny. Mi weles fwy, O do!

"Y tro bues i 'na gynta — miwn mistêc, cofia — o'dd dri dwarnod cyn i'r ffair agor i'r byd, a mi fues rownd i'r siew ffrwythe o'n nhw'n bartoi 'no. Wrth fynd miwn, mi weles angladd yn dod shag ato i, ac yr o'dd crowd 'no, hed. Pedwar mas yw hi gyda ni miwn angladd, fel ti'n gwbod; wel, wyth mas o'dd hi yn y fanny, ac wedi sefyll sbel a meddwl ble'r o'dd y corff 'te, dyma fe'n dod, — ciwcymber fawr ar elor, 'na beth o'dd e!

"Miwn tipyn, ma rhyw gyffro mawr 'no, — ro'dd dyn ar goll; dyn du, 'na wedso nhw, a phawb yn 'whilo drw'r lle amdano. Miwn dou ddwarnod ceso nhw fe yn ôl — fel'ny darllenes i yn y papur. Wedi slipo a chwmpo miwn i gabetsen biclo ro'dd e, a ffili ffindo i ffordd mas.

"A dyna randibŵ arall yn digwydd y pen arall o'r siew, ryw filltir falle i ffwrdd. Merch wedi ca'l 'i thr'od hi mas, — ro'dd y crac yn dala mor sownd a 'se hi wedi mynd rhwng dannedd aligetor."

"Beth yw aligetor, Dafi?" ebe fi.

"Goldfish America. Beth ddysgest ti yn yr ysgol, dwed?"

"Wel, o'dd, ro'dd 'no ffrwythe mawr; mi weles i gina bensen fwya'r byd 'no."

"Beth o'dd 'i seis hi, Dafi?"

"Wel, wedswn i bod hi ddim digon o bryd i ddeg, ond byse dwy yn ormod i'r nifer 'ny. A dyna stŵr o'dd gyda'r boi 'na gollws 'i gyrrens cochon. Ro'dd e wedi hala nhw miwn i ddodi ar 'i stondin, mynte fe, ond do'dd dim sôn amdanyn nhw. Wedi lot o gynhalath, fe ffindwd nhw, — ro'n nhw wedi dodi'r cyrrens gyda'r tomatos a neb wedi sylwi'r gwa'niath.

"Ro'dd 'na lot o ferched yn gwitho 'no, — merched miwn trwsuse o'n nhw i gyd. Nhw o'dd yn dod â'r lemwns a'r oranges miwn. N'ido arnyn nhw o'n nhw, a'u rholo mlâ'n â'u tra'd, fel gwelest ti eliffants yn gneud miwn syrcas. Weles i ddim eliffants yn y ffair, shwt, ond fe wedwd wrtho i bysen i wedi gweld dou se'n i wedi pipan tu ôl i'r bwmpen o'dd 'no.

"Fe glywes fod maro fawr wedi ca'l i hentro, ond ro'dd y comiti wedi'i throi un ochr i'r pwrpas o neud offisis ohoni. Mi weles 'i thalcen hi o bell, ond etho i ddim yn agos ati, gan fod y gweithwyr yn fishi'n dodi'r ffenestri a'r dryse miwn."

Ffwlbri, ddywetsoch chi? Dim o gwbl, — fe glywais i Dafi Chicago yn dweud yr hanes â'm clustiau fy hun.

Dyma ddwy stori arall a ymddangosodd yn *Blodau'r Ffair*:-

Yr Ianci

Tybed a oedd yr Ianci a Dafi Chicago yn perthyn i'w gilydd? Fe welsom lun Dafi Chicago a darllen am ei orchestion yn *Blodau'r Ffair*. Ond ychydig iawn sy'n cofio'r Ianci erbyn hyn. I'r rhai oedd yn ei nabod, "Dafydd 'Mericia" oedd ei enw. Ond i'r rhai â chysylltiad agos ag o — "Yr Ianci." Ac roedd o'n ffansïo'r enw hwnnw.

Wn i ddim. Ŵyr neb erbyn hyn, am a wn i, a fu Dafi Chicago yn gwisgo cnawd rhyw dro ai peidio, ond fe allaf fi sicrhau i'r Ianci wneud hynny, oherwydd fe ges i fwy nag un bonclust ganddo pan yn llefnyn, am ei bryfocio.

Yn ôl y llun a welsom o Ddafi Chicago roedd yna debygrwydd mawr cyd-rhyngddynt. Roedd Dafi yn siŵr o fod yn dalach na'r Ianci, a chyn i mi anghofio dweud, Dafydd oedd enw'r Ianci hefyd — Dafydd Dafis, a rhyw lythyren ganol nad yw o bwys amdani bellach. Roedd barf yr Ianci yn hwy ac yn fwy trwchus, mi greda i, na barf Dafi Chicago. Yr un llygaid llym, ond welais i ddim tei bô gan yr Ianci, er bod ganddo beth wmbredd o drugaredde.

Yr un gorchestion a straeon anodd eu coelio oedd gan y ddau. Ni ddown i byth i ben o ddechrau eu hadrodd, ond dyma un i flasu'r 'Wild West'.

Ymhlith dwsinau o bethau eraill yr honnai iddo fod yn eu gwneud tra bu yn y 'Merica, roedd ffarmio moch. Un tro roedd wedi colli hwch â thorllwyth o ddwsin o foch; chwilio pob man, ond lle roedd yr hwch wrth gwrs, a'i chael ymhen y rhawg wedi bwyta i mewn i swedsen, ac yn gorwedd yn hapus y tu mewn i sgerbwd y swedsen, a'r moch i gyd yn sugno'n braf.

Wrth gwrs, byddai amrywiadau ar y campau a'r gwrhydri. Ni fyddent yn hollol yr un fath bob tro. Mae'n bosibl fod gan hynny rywbeth i'w wneud â'r goel bod angen cof da i ddeud celwydd. Ond prun bynnag am hynny, byddai'r Ianci yn adrodd un stori yr un fath bob amser. Digwyddodd yr achlysur hwnnw cyn iddo groesi'r Iwerydd o wlad ei enedigaeth, ac efallai fod gan hynny rywbeth i'w wneud â'r ffaith ei fod yn adrodd yr hanes yn gymwys yr un fath bob amser.

Gadewch i mi, cyn adrodd y stori, ddeud nad dyn i'w droi'n ôl ar chware bach oedd yr Ianci. Dim peryg! Nid unwaith na dwywaith y gwelais i o'n gafael â llaw noeth mewn llygoden ffrengig, a gwasgu'r chwythiad ola ohoni cyn y medrech gael amser i ddeud 'Amen'.

Roedd yr Ianci'n hannu o deulu o ffermwyr defaid, a thua

hanner dwsin ohonynt yn ffermio ar y pryd cydrhwng plwyfi Llanwrin a Thalyllyn. Ar adeg cneifio byddai'n eu cadw i gyd yn wastad trwy roi ei help iddynt. Byddai'n mynd o'r naill fan i'r llall ar y diwrnodau penodedig, fel pregethwr Cyfarfod Mawr. Cario'r defaid gwlanog i'r meinciau i'r cneifwyr oedd ei swydd bob amser. Wedi troi ei wasgod liain y tu chwith allan a chael rhywun i'w botymu iddo, roedd yn ddaliwr defaid delfrydol. Pawb â'i fusnes ei hun oedd ei arwyddair, ac ni chymerai sylw o waith neb arall.

Gorchest gan yr Ianci fyddai medru cyrraedd y fferm oedd yn cneifio'r diwrnod hwnnw rhyw awr cyn amser codi, a chadw digon o sŵn i bawb wybod ei fod yno.

Ond dyma'r stori yn union fel yr adroddai hi hanner can mlynedd yn ôl.

Wedi iddi droi hanner nos ryw nos Sul, dacw fo'n cychwyn o'r Fron-fraith yn Aberllefenni i fynd i Gaeadda ym mhlwy Llanwrin. Ei gynllun oedd cyrraedd i gyffiniau Caeadda a chael awr neu ddwy o orffwys mewn rhyw feudy cyn dechrau cadw reiat wrth y tŷ. A beudy Bwlch Lleian yn lled agos i Gaeadda, anelai'r Ianci ato yn y

172

llwydnos ddechrau haf. Yn ymyl roedd llidiart y byddai'n rhaid mynd trwyddi i gyrraedd y beudy. A'r Ianci ar ddatfachu'r llidiart, disgynnodd anferth o dderyn mawr arno. Tystiolaeth yr Ianci bob amser oedd na welodd ddim byd tebyg o ran maint erioed, hyd yn oed yn y 'Merica. Ni châi'r Ianci gyffwrdd y llidiart ganddo; ymosodai'n gïaidd arno, ac er iddo geisio'i daro ac ymafael ag ef roedd y deryn yn drech na'r dyn bob tro. Ceisiodd fynd trwy'r gwrych (shetin i ni y ffordd yma), ond roedd y deryn yno cyn gynted ag yntau, a doedd waeth iddo droi'n ôl yn fuan nac yn hwyr. Cynnig y llidiart wedyn, ond roedd y deryn yn fwy cynddeiriog bob tro, ac yn benderfynol nad oedd yr Ianci i fynd trwy'r llidiart.

Wedi'i drechu'n deg, doedd dim i'w wneud ond lled-orwedd ym môn y clawdd yn ymyl y llidiart a gwylio'r deryn dieflig. Gwyliai'r deryn yntau fel ellyll, a doedd wiw iddo symud modfedd i gyfeiriad y llidiart.

Ni wyddai'r Ianci faint o amser a basiodd ac yntau ym môn y clawdd fel hyn. Doedd dim y medrai ei wneud ond disgwyl gwawr, a rhyw ymwared yn ei sgil. Ymhen hir a hwyr, clywai nodau clir cyntaf ceiliog Rhyd-y-biswel, tyddyn cyfagos, yn cyhoeddi fod gwawr gerllaw. Clywodd y deryn ef hefyd, a'r un eiliad bron ag y canodd y ceiliog cododd ar ei aden fel rhyw long-awyr fawr ac ehedeg tros y boncyn o'r golwg.

Cododd yr Ianci hefyd i fynd i ben ei daith. Ond, yn ôl yr hanes, wedi torri cryn dipyn ar ei grib!

Haydn Pughe
Dinas Mawddwy

W. H. Roberts, Niwbwrch, yn adrodd

Stori Owen Jones

Pan oeddwn i'n hogyn gartre, bron hanner can mlynedd yn ôl erbyn hyn, yr oedd yna ewyrth i 'nhad yn cymryd ei gartre efo ni. F'ewyth John, un o'r dynion mwyaf diddorol a wisgodd esgid erioed. Pererin arall o'r ddeunawfed ganrif. Tenor da yn ei ddydd, ac yn darllen sol-ffa fel lo-ji. Pencampwr ar gau adwy a gweithio tâs. Ac yn bur ffond o'i beint. Ond eglwyswr oedd John Hughes, felly doedd hynny nac yma nac acw.

I Lannerch-y-medd am hwnnw bob nos Sadwrn fel cloc. I'r Menai Inn — y Mena', chwedl yntau. Yno y cyfarfyddai ei gymhiars, Hugh Roberts, Owen Jones, John Williams, William Eleias a'r lleill. Siarad am bopeth dan haul, ond pan âi hi'n fain am destun, dôi Owen Jones i'r adwy efo tamaid o'i atgofion.

Cawsai Owen Jones fywyd diddorol, mae'n debyg. Bu'n teithio'r byd ei led a'i hyd, ac o'r gwledydd pell yna y deuai ei straeon. O Bwllheli, deudwch, neu weithiau o'r Sowth, ac ambell dro o'r 'Mericia.

Unwaith mi fu cyn belled â'r Rocis, yn prospectio am aur. Yn lwcus hefyd. Ac wedi gneud poced reit ddel, mi ddaeth hiraeth drosto am Sir Fôn, a dyma hel ei bac.

Y peth cynta wnaeth o oedd prynu gwedd o fastard mulod — y rhai gora yn y gymdogaeth. Mi brynodd nhw mewn marchnad geffyla, a honno, yn rhyfedd iawn, yn cael ei chynnal ar Ddifia — yr un fath â marchnad Llangefni.

I ffwrdd â fo, ac ar ôl teithio cannoedd ar gannoedd o filltiroedd ar draws gwlad fawr agorad, heb glawdd na gwrych yn unman, nes yr oedd o naill-du i Niw Iorc, mi ddaeth, ryw gyda'r nos, at ransh unig. Lle nobl. Beudai eang ac anifeiliaid graenus, ac mi feddyliodd hwyrach y câi o gysgu yn y sgubor a gorffwyso'r mulod. Mi gurodd y drws, ac fe ddaeth gwraig ifanc glên iawn i'w agor. Oedd, nen' tad, yr oedd croeso calon iddo aros yno, nid yn y sgubor, ond yn y tŷ. Roedd y gŵr yr un mor garedig a chafodd swper tan gamp efo'r ddau.

"Ond," meddai Owen Jones, "roedd hi'n hawdd gweld nad oedd popeth cystal â'r olwg. Ro'dd 'na olion poen a chystudd ar y teulu, yn enwedig y wraig. Ac wedi ca'l mygyn wrth y tân, mi fentris ofyn be odd yn 'u poeni nhw. Ac o dipyn i beth, mi ges yr hanas. Roedd ganddyn nhw fab — unig blentyn — pymthag oed, yn gorfadd ers deng mlynadd. Wedi'i sathru gan geffyl ifanc newydd 'i ddal i'w dorri. Yr hogyn bach wedi rhedag at 'i dad, a'r ceffyl wedi ymgodi ac wedi sigo un o'i goesa. Roeddan nhw wedi bod â fo at bob doctor bron, yn Niw Iorc a Tsieina, ond pob un yn deud na cherdda fo byth. Diawst i, ro'dd yn ddrwg gin i drostyn nhw. Ro'dd yn ddigon hawdd gweld ma fo o'dd cannwyll 'u llygaid nhw.

"Beth bynnag i chi, dyma fi'n gofyn gawn i olwg ar y llanc, achos ro'n i'n meddwl falla y gallwn i neud rhwbath iddo fo. A dyma nhw'n mynd â fi i'r llofft. A dyna lle'r o'dd o, y llanc bach dela welis i â 'nau lygad erioed. 'Gad i mi weld dy goes di, ngwas i,' meddwn i wrtho fo. Mi welis yn y fan beth odd y matar. Asgwrn bach 'i goes o o'dd wedi madru, ag ro'dd hi'n hwyr glas iddo fo ga'l meddyginiaeth. 'Oes gynnoch chi gi yma?' meddwn i. 'Oes,' medda'r gŵr. 'Lladdwch o,' medda finna. Hynny fuo. Cyn pen hannar awr, roeddwn i wedi grafftio asgwrn bach o goes y ci yng nghoes y bychan, a chredwch chi ne beidio, 'mhen pythefnos ro'dd yr hogyn yn prancio fel oen myharan ac yn neidio giatia ucha'r ffarm wrth daro'i law ar yr aelan ucha.

"Diaist i," medda Jones ar ddiwedd y stori bob tro, "mi fuo mi'n difaru lawar gwaith hefyd na faswn i wedi cymryd asgwrn o goes llo ne ddafad, achos mi ro'dd 'na natur codi coes felly, yno fo, ar adega."

Ymddangosodd y stori hon yn y gyfrol *Wês Wês* ac mae'n werth ei chadw yn y dafodiaith wreiddiol:

Croen Llysywen

Wn i ddim a yw'r "stori dal" neu'r stori gelwydd gole yn perthyn yn arbennig i Sir Benfro. Yn bendant mae yna doreth ohonyn nhw i'w clywed o hyd o gwmpas Dyfed. Stori o gyffiniau Trefdraeth yw hon, un arall o gynhyrchion dychymyg ffrwythlon Daniel Thomas, Daniel y Pant, o bosib. Fe glywais y stori hon yn cael ei hadrodd fwy nag unwaith ond doedd neb yn debyg i un hen greadur a glywais yn ei dweud hi yn un o dafarnau Trefdraeth. Soniodd rhywun yn y cwmni fel oedd e wedi colli clobyn o bysgodyn y bore hynny — roedd e wedi dianc â'r bachyn a hanner y lein, medde fe. Wel, os collodd e bysgodyn, fe gododd pysgodyn arall yn bert i'r abwyd a rywle rhwng y bîb a'r poeri dyma beth glywson ni:

"Wê chi'n gweud am bisgodyn, wên i'n pisgota'r afon fach lan Cwm Gweun pwêr o flinidde nôl a baches i'r pisgodyn rhifedda ario'd. Wel, wên i'n meddwl na pisgodyn wêdd e. Wê'r plwc cinta jyst dwgyd ir ialen o ngafel i, a meddilies in streit bo rhwbeth sbeshal 'da fi. Wedi iddo fe nhinnu i'n glatsh i'r dŵr rhyw ddisen o weithe wên in ame'n jogel a pisgodyn wê 'da fi o gwbwl. Trw lwc, we lein gref 'da fi, fel rheini ma'n nhw'n iwso i ddala "whales" yn y North Caribî a fe ddales i wmla ag e am orie shŵr o fod a wên i bron ffeilu ciffro. Wêdd haid o fois ir hewl in isgus neud tamed ar ben i feidir a wedi bod yn watsho am sbel a pan welo nhw bod i pisgodyn bron â peito i, fe ddethon i helpu. Gida help "winch" fe geson i pisgodyn ma's o'r dŵr wedi ffeit ofnadw. Pwr'ny welon ni mai nid pisgodyn wê 'da ni, ond llaswaden. Wê hi hyd i rhŵm ma, sen i'n marw, a mor drwchus â nghanol i. Esum i ddim gatre â hi achos mi fidde'n ormod o job i ga'l lori ddigon mowr lawr i bwys ir afon, a mi blinges hi in i fan a'r lle. Wedi sgwaru'r crwên ma's wêdd e'n agos i gifro hanner cifer o dir. Fe dreies i werthu'r crwên ond wê 'da neb ddigon o arian i bwrnu fe, achos ma crwên llaswaden in imbed o werthfowr. Wel, wê dim i neud ond iwso'r crwên in hunan ac am bod ishe gêr newy i'r gaseg fe eusum i ambwti gneud rhai iddi hi. O grwên i llaswaden nesum i ffrwyn, mwnci a strodur perta weloch chi ar gaseg ario'd.

Whap ar ôl 'ny esum i Bwll Gwaelod i wreca a mynd â'r gaseg fach a'r cart 'da fi, a wê'r gaseg fach in drichyd in bert dan i crwên llaswaden. Fe gesum i lwyth bach jogel a pan wên i'n dod nôl mi alwes in i "Sailors Safety" am un bach, wel dou fach falle, dim llower mwy na 'ny. Pan ddesum i ma's wêdd hi'n bwrw diferyn bach o law ond wêdd hi'n drichyd fel se hi'n mynd i beido in i funud a esum i nôl am un bach lŵeth iddi ga'l stopo'n iawn. Pan ddesum i ma's wedyn wê'r glaw wedi peido a ma ni'n dechre cered am gatre. Mhen sbel fach wên i'n gweld i gaseg fach in tinnu'n jogel, a ma fi'n hapno taro golwg nôl, a wê dim cip o'r cart.

Nawr, os ych chi'n gwbod rhwbeth am grwên llaswaden, ych chi'n gwbod bod e'n mistyn pan lichith e. Wê'r strodur a'r mwnci wedi mistyn nôl i rwle, a dim golwg o'r cart wê'n sownd wrthyn nhw. Bant â fi a'r gaseg fach am gatre achos wêdd hi'n twllu nawr a wê dim lot o hwyl mynd i whilo am i cart ir amser 'ny o'r nos. Wedi cirradd gatre fe roies i'r gaseg in i stabal a chau'r drws clatsh ar 'i hôl

i. Nesum i ddim matru'r gaseg, jyst i gadel hi fel wêdd hi. Fe gisges in sownd hyd dou o'r gloch pan gliwes i sŵn i gwynt in codi a mhen sbel ma fi'n cliwed i gaseg fach in stablan. Fe wishges in glou a rhedeg i'r stabal. A chi'n gwbod beth wê 'na? Wê shaffte'r cart in dynn in nrws i stabal. Fel ma pawb sy'n gwbod i peth lleia am grwên llaswaden in gwbod, ma'r crwên in tinhau wrth sichu. Ma'n berffeth gowir i chi," medde fe, "ac os nag ych chi'n credu ma hôl i shaffte ar i drws hyd heddi. Wên i newy peinto nhw!"

Gwyn Griffiths

Yma o hyd

"Er gwaetha pawb a phopeth, 'dan ni yma o hyd," medd geiriau un o ganeuon enwocaf Dafydd Iwan, geiriau sy'n addas iawn i'w defnyddio pan yn sôn am y storïwr celwydd golau. Ac maen nhw'n dal yma, yn dal i lunio eu straeon a'u coelion ac yn dal i ddiddori, yn faromedr sicr o gyflwr y Gymraeg a'r cymdeithasau hynny sy'n dal i fyw drwy ei chyfrwng. Gallaf enwi tua hanner dwsin yn ardal Porthmadog a Phenrhyndeudraeth sydd yn dal i'w 'deud nhw'. Mi wn, hefyd, am o leiaf ddau ym mhen uchaf Dyffryn Conwy, ac allan o'r nifer yma mae tri yn iau na fi.

Nid wyf yn dymuno enwi nifer ohonynt, am ddau reswm. Yn gyntaf, nid wyf yn dymuno i gyhoeddusrwydd roi taw ar eu straeon; gobeithio y daliant ati i'w creu a'u hadrodd ond y bydd mwy o bobl yn gwrando a chofio'r straeon ar ôl darllen y llyfr hwn. Yr ail reswm yw fy mod yn dal i fyw yn eu cwmni ac yn gobeithio y bydd ein perthynas yn aros fel y mae.

Felly, rhaid yw bodloni ar roi awgrym neu ddau a rydd syniad i'r sawl sy'n eu hadnabod pwy ydynt. Ond, wrth gwrs, mae'r rheiny yn eu hadnabod oddi wrth eu straeon hefyd.

Mae'r cymeriad cyntaf yn byw ym Mhorthmadog ac yn gweithio gyda chriw o adeiladwyr. Un noson, pan o'n i'n cael peint yn ei gwmni, mi ddigwyddais ddweud fy mod wedi prynu hanner oen i'w roi yn y rhewgell. Dyma'r ymateb a ddaeth yn syth y funud honno:

"Dwi'n cael mochyn cyfa a'i roi o yn y *chest freezer* a wyddost ti be? Mae'r un dwytha ges i yn andros o un mawr. Dwi 'di gorfod rhoi cadar ar ben y caead a blocia ar ben honno er mwyn dal y caead i lawr rhag 'i fod o'n agor!"

* * *

Dro arall, roeddwn wedi dweud wrtho fod fy nhad-yng-nghyfraith yn tyfu rhyw ddau blanhigyn tomato yng nghefn ei garej ac yn syth, dyma'r ymateb:

"Mae gin i dros ddau gant o blants tomato yn y garej acw, a dwi 'di ca'l tomatos mawr hefyd, rhai cymaint â 'nwrn i."

★ ★ ★

Roedd o'n tyfu letys hefyd, a'r rheiny'n rhai mawr iawn:-
"Pan o'n i'n mynd i'r drws cefn, roeddant i gyd yn bowio arna i."

★ ★ ★

Un tro, pan oedd yn Llundain, mi fethodd o a chydymaith ddal y trên olaf am adref. Doedd dim amdani ond cysgu ar y platffform:
"Mi es i gysgu at y wal, ar sêt oedd o dan gyrdar haearn. Pan ddeffris i yn y bora, mi glywn fy ffrind yn gweiddi arnaf ond roedd o'n swnio'n bell i ffwrdd. Mi welwn 'i fod o'n sefyll wrth fy ymyl ac mi ddalltais yn sydyn beth oedd yn bod. Roedd colomennod ar y to uwch fy mhen wedi bod yn cachu drwy'r nos, a hwnnw wedi rhedag i lawr y gyrdar. Roedd fy nghlust yn pwyso ar y gyrdar ac wedi llenwi nes y methwn glywed llawar. Mi ddoth pob dim yn iawn ar ôl imi l'nau fy nghlust."

★ ★ ★

Mae'r tair stori nesaf am gymeriad o ardal Pentrefoelas:
Un tro, roedd wedi bod yn trio ei brawf gyrru ac wedi methu. Dyma un o'r hogiau yn gofyn iddo beth ddigwyddodd.
"Fel hyn y buo hi," meddai, "roedd 'na ddau ohonon ni'n trio y bore 'ma ac mi ddudodd y testar mai dim ond un oedd yn cael pasio, felly dyma'r ddau ohonom yn tosio ceiniog — a fi gollodd!"

★ ★ ★

"Mi 'nes i ddal samon efo giaff," meddai unwaith.
"Sut laddist ti o?"
"Wel ei foddi o, de!"

179

"Mi welis i tjaen haearn wrth gerddad adra un tro. Andros o un hir. Mi lapiais i hi amdana a mynd â hi efo fi. Wedi cyrraedd y lle 'cw, mi rhois i hi ar glorian ac roedd hi'n pwyso tair tunnell, wa."

★ ★ ★

Gŵr o Benrhyndeudraeth yn honni unwaith iddo ddal mellten mewn pot jam. Bu wrthi'n dangos i'w gydweithwyr sut roedd wedi mynd ar ei hôl hi a'i dal hi yn y diwedd.

Mae stori arall amdano yn mynd i ben Cader Idris mewn car! Roedd wedi mynd ar hyd ffyrdd cefn i gyd, dim ond y ffermwyr lleol oedd yn gwybod amdanynt. Gosododd gelyrnau nwy yn y bŵt i roi pwysau ychwanegol ar yr olwynion ôl er mwyn cael gwell gafael wrth ddringo'r ffyrdd serth. Wedi cyrraedd y copa, dyma fo'n penderfynu treulio'r nos yno yn ei gar. Pan ddeffrodd yn y bore, roedd carw anferth yn sefyll y tu allan i'r car yn edrych arno. Yn sydyn, daeth niwl tew i lawr a chuddio pob man a chuddio'r carw. Cododd y niwl yr un mor sydyn ag y daeth, ond doedd dim golwg o'r carw yn unman.

★ ★ ★

Ym Mhorthmadog y mae cymeriad yn byw sy'n cael ei enwi ar ôl cyfres am heliwr a gafodd ei dangos ar y teledu yn y pumdegau. Mae'r enw wedi dod i lawr i'r mab hefyd.

Y stori enwocaf amdano yw ei hanes yn saethu cwningod yn y Traeth, Porthmadog. Mae mwy nag un fersiwn o'r stori ar gael ac mae'n tueddu i dyfu ar adegau, ond dyma'r ffurf sydd fwyaf cyffredin.

"Mi o'n i'n saethu cwningod yn y Traeth un diwrnod a dyma fi'n tanio at un. Mi aeth y siot drwy'r gwningen, ac fel oedd hi'n digwydd, roedd 'na samon yn neidio yn afon Glaslyn. Aeth trwy hwnnw, hefyd ac fel oedd hi'n digwydd, roedd 'na chwadan wyllt yn codi y funud honno o'r ochr draw i'r Glaslyn. Aeth y siot i fewn i honno, hefyd."

Clywais amdano pan oedd yn gweithio i gwmni o adeiladwyr, yn rhoi oriau o ddiddanwch i'w gydweithwyr, yn enwedig yn ystod amser cinio. Byddai ef a gŵr o Benrhyndeudraeth (y gŵr a ddaliodd y fellten) yn ceisio cael y gorau ar ei gilydd. Roedd y ddau yn chwaraewyr dartiau a dyma un yn dweud:

"Mae gen i ddart deuddeg modfadd yn y tŷ."

"Dydi hynna'n ddim byd," meddai'r llall, "mae gin i ddart deunaw modfedd adra!"

Un diwrnod, roedd yn saethu ar ynys fechan yn harbwr Porthmadog a elwir yn Cei Balast. Roedd wedi cerdded iddi ar lanw isel, ond yn y cyfamser, daeth y llanw i mewn a'i garcharu yno:

"Doedd dim amdani," meddai, "ond torri'r gwn a thynnu'r cetris allan. Yna dal y baril dwbwl wrth fy ngheg, ei ddal yn syth i fyny, a cherdded drwy'r dŵr gan gymryd fy ngwynt drwy'r barils."

★　★　★

Bu'n pysgota allan yn y bae mewn cwch bach un diwrnod. Roedd wedi dal mynydd o bysgod a'r llwyth yn gostwng y cwch mor isel yn y dŵr fel y bu'n rhaid iddo fynd allan i wthio'r cwch dros y bar er mwyn dod i mewn i'r harbwr!

★　★　★

Mae'n sôn weithiau amdano'i hun yn y rhyfel. Fo oedd y Cymro cyntaf i fod ar *aircraft carrier* yn perthyn i 'Merica, medda fo. Un tro, mi trawyd hi gan chwech awyren Kamikaze Siapaneaidd, ac er hynny, roedd yn dal i hwylio. (Roedd un awyren fel arfer yn ddigon i suddo unrhyw long). Bu hefyd yn yr *aircraft carrier* gyntaf yr hedfanodd jet ohoni, ac fel petai hynny ddim yn ddigon, fe dreuliodd amser mewn sybmarîns hefyd.

★　★　★

Ym mis Ionawr eleni, fe'i clywyd yn brolio ei fod wedi dal cranc coch ac wedi cael chwe phwys a hanner o gig allan ohono. Mae'n rhaid ei fod yn anferth o granc! Ond mi aeth allan i'r môr wedyn a dal un arall, a hwnnw'n fwy byth! Bu'n chwilio o gwmpas Porthmadog am sosban oedd yn ddigon mawr i'w ddal, ond methodd â chael un. Yn y diwedd, bu'n rhaid iddo gymryd bwyell a thorri'r cranc yn bedwar, yna berwi'r pedwar darn ar wahân am mai dyna'r unig ffordd y gallai ei gael i ffitio'r sosban!

Pan oeddwn ar ganol ysgrifennu fersiwn terfynol y llyfr yma, mi ddywedodd un dyn wrthyf ei fod yn y stesion un noson ac yn dangos ei ddwylo, a rheiny'n fudur ar ôl bod yn gweithio mewn olew. Roedd wedi bod yn ceisio eu glanhau, ond methodd â'u cael yn hollol lân. Wrth ddweud hyn, dyma fab y cymeriad sydd dan sylw yn troi ato gan ddweud:

"Nid 'u golchi nhw fydda i ond 'u llnau nhw efo sandar!"

★ ★ ★

Gŵr o Flaenau Ffestiniog yn dweud hanes ei sbeinglas newydd:

"Mi fedri di ddarllan noda defaid ar ochor yr Wyddfa wrth edrach drwyddo fo o ben y Crimea.

"Biti fasa ti efo fi ar ben Crimea, Sul diwetha, mi fuos i'n edrach ar ryw foi yn dringo'r Wyddfa. O'n i hyd yn oed yn gallu gweld y patrwm oedd ar ei dei o."

"Sut oeddach chi'n gallu gweld ei dei o? Os oedd o'n dringo, roedd ei gefn o tuag atoch!"

"O, mi droiodd rownd am ryw eiliad."

★ ★ ★

Un o sgotwyr 'Stiniog yn canmol pysgodyn wrtho un tro:

"Wyt ti ddim yn gwybod be 'di sgota. Tyd efo fi i Lyn Adar i mi ga'l dangos iti. Mi fuos i yno nos Iau ac mi ddalis lond dwy sach o bysgod. Mi garis i'r ddwy sach o Lyn Adar at chwaral Rhosydd ac mi oeddan nhw yn drwm ofnadwy. Oedd yn rhaid imi adal un sach yno a chario'r llall adra a mynd i nôl y sach ben bora wedyn."

Cymeriad arall yn adrodd ei hanes yn y rhyfel:

"Oeddan ni'n dod at y bont 'ma yn Ffrainc, ac mi oedd 'na soldiwr Jerman yn sefyll ar y bont yn gafael yn y canllaw. Dyma fi'n tanio ato a'i saethu rhwng 'i ddau lygad o, mi welwn i'r twll yn iawn, ond oedd o'n dal i sefyll.

"Pan ddos i ato fo, mi welwn ei fod o'n farw, ond 'i fod o wedi ei saethu o'r blaen. Mae'n rhaid fod *rigor mortis* wedi setio i mewn ac yntau'n gafael yn y canllaw. Mi wastis i fwled ar y diawl."

★ ★ ★

Cymeriad arall yn magu colomennod a'u gyrru efo'r trên i Birmingham i'w gollwng. Fe ddaethant i gyd adref ond un, a doedd dim hanes ohoni. Yr wythnos ganlynol, dyma hi'n cyrraedd adref a golwg druenus arni.

"Mae'n rhaid," medda fo, "ei bod hi wedi brifo ei hadain ac wedi cerddad yn ôl y gweddill o'r ffordd ar hyd y baria. Mi oedd ei thraed hi'n boenus a hoel rhwd arnynt ar ôl iddi gerddad drwy'r tynnal mawr."

Rhai straeon am gymeriadau sy'n gweithio yn Atomfa Traws

Gan fod cymaint yn gweithio yn yr atomfa, mae'n anorfod, bron, fod yna straewyr celwydd golau yn eu mysg. Dyma rai o'r straeon a glywyd yno.

Cymeriad yn siarad gyda gŵr arall:

"Welist ti'r rhaglen *Horizon* 'na neithiwr? Oeddan nhw'n dweud fod yna fflamau yn dod allan o'r haul a oedd yn '93 milion meils' o hyd."

"Paid â bod yn wirion," meddai'r llall, "dyna pa mor bell ydi'r byd oddi wrth yr haul ac mi fasan nhw wedi'n llosgi ni i gyd."

"Yr ochr arall i'r haul maen nhw, siŵr iawn."

Yr un cymeriad eto, wedi bod ar ei wyliau ac yn adrodd yr hanes:

"Roedd yr eroplên yn fflio ar '92,000 feet'," medda fo.

"Paid â bod yn hurt, mae hynna allan yn y gofod."

"Gwranda, pwy oedd ar yr eroplên, chdi ta fi?"

★　★　★

Cymeriad arall sy'n gweithio yno yn adrodd ei hanes yn teithio yn y car:

"O'n i'n dod adra dros y Crimea ac yn y top mi ddaeth 'na awyren jet RAF i 'nghwfwr i yn fflio ar yr un lefel â fi. Mi welis i'r peilot yn pwyntio i lawr. Edrychais i'r cyfeiriad hwnnw ac mi welis i fod yna gar wedi mynd dros yr ochor.

Mi yrrais i lawr i'r garej gynta yn Blaena' a dod yn ôl efo 'tow-truck'. Tra oeddan ni'n bachu'r car, dyma'r awyren yn dod yn ôl ac ysgwyd ei hadenydd arna i ddiolch."

★　★　★

Roedd o'n sefyll y tu allan i'r Commercial yn 'Stiniog un diwrnod yn dangos *Arc-welder* ym mŵt ei gar.

"Pam wyt ti eisiau hwnna?" holodd rhywun.

"Rhag ofn i mi gael fy ngalw allan, ti'n gweld. Os oes 'na rywbeth mawr yn digwydd, fi sy'n cael fy ngalw i Traws neu i Wylfa."

Labrwr ydi'r cymeriad hwn yn yr atomfa.

Wil o Lŷn

Dyma rai o'i straeon:

Mae Wil yn honni ei fod yn gwybod yn union ble y mae Cantre'r Gwaelod ym Mae Ceredigion. Fe allai fynd ag unrhyw un yno, medd ef. Yn ystod yr haf, fe fydd yn cario Saeson allan i'r bae yn ei gwch ac mae'n taeru y gallwch, pan mae'r môr yn llonydd ac yn glir, weld strydoedd Cantre'r Gwaelod o dan y dŵr, a hyd yn oed ddarllen y rhifau ar ddrysau'r tai!

* * *

Fe fydd Wil weithiau yn glanhau ambell simdde yn yr ardal. Mae bob amser yn mynd â iâr wen gydag ef, gan ei chario mewn sach. Pan fydd wedi gorffen glanhau'r simdde, fe fydd yn gollwng yr iâr wen i fyny'r simdde. Daw'r iâr allan o'r corn yn glaer wyn gan brofi fod Wil wedi glanhau'r corn yn iawn.

* * *

Un tro, roedd yn hela 'sgwarnogod gyda milgi a lamp. Gyrrodd y milgi o gwmpas y cae ac fe gododd hwnnw 'sgwarnog. Gwelai'r 'sgwarnog yn dod i'w gyfarfod. Y noson honno, roedd Wil yn gwisgo hen gôt y fyddin am ei bod yn un gynnes. Gwelai y 'sgwarnog yn dod ato ac roedd honno, meddai Wil, yn gwisgo sbectol! Rhedodd y 'sgwarnog i fyny llawes yr hen gôt armi, ar draws pont ci ysgwydd ac i lawr y lawes arall ac am iddi gyflawni'r gamp honno, fe gollodd y milgi y trywydd yn llwyr!

* * *

Un diwrnod, roedd Wil yn gwerthu pysgod gyda'i fan rhwng Pengroeslon a Hebron ym Mhen Llŷn. Roedd yna 'uffarn o gorwynt', a hwnnw'n chwythu pob dim o'i flaen. Yn sydyn, gwelodd gwt ieir yn dod tuag ato, rhyw ddeg troedfedd uwchben y ffordd, yn cael ei gario gan y gwynt. Gallai weld yr ieir yn edrych allan o ffenestri'r cwt. Tynnodd Wil y fan i mewn i lê-bei i osgoi damwain, ac fe aeth y cwt heibio iddo ac ymlaen i fyny'r ffordd!

* * *

Roedd Wil newydd brynu cwch ac mi aeth allan i 'sgota ynddo fo.

Ar ôl ychydig dyma fo'n dal cath fôr anferth.

"Roedd hi mor fawr nes ei bod hi'n lletach na'r cwch. Mi ddôth hi'n gawod o genllysg a dyma fi'n cael brênwêf — a mynd i 'mochal o dan y gath fôr."

Crad

Fel Cradog Ty'n Berth (neu Crad Bach) yr adwaenir Caradog Hughes, er mai yn Nhan Lan Fawr ar ochr y Foel uwch pentref Penmachno y mae'n byw ers blynyddoedd. Tŷ cyffredin, hollol nodweddiadol o dai cefn gwlad Cymru oedd Tan Lan. Yn wir, roedd yno ddau dŷ ar un adeg, ond ers i Crad ddod i fyw yno mae'r tŷ yn wahanol i bob tŷ arall, yn hollol unigryw. Nid oes cymaint o gelfi mewn llawer tomen sgrap ag sydd y tu allan i'r tŷ hwn. Fe osodwyd penglogau ac esgyrn anifeiliaid o gwmpas ffrâm y drws. Pan fydd Crad yn saethu piod, byddaf yn credu bob amser mai ceisio dileu'r gystadleuaeth iddo fel archgasglwr y mae.

Rwy'n adnabod Crad ers blynyddoedd lawer, ac er ei fod yn aml yn sathru traed nifer o bobl, y mae'n gymwynaswr heb ei ail ac fe dystiodd un o'i gymdogion, y diweddar Fred Wood, i'w garedigrwydd a'i barodrwydd i fod o gymorth mewn unrhyw ffordd. Rhyw weithio yma ac acw y mae Crad, er ei fod bellach yn siŵr o fewn cyrraedd oed pensiwn, os nad yw wedi ei gyrraedd eisoes. Mi fydd hefyd yn hela ac yn magu colomennod ymhlith diddordebau eraill.

Cymeriad diddorol dros ben oedd ei dad, Ellis Hughes (Elsyn Ty'n Berth). Ef oedd y diwethaf i mi ei gofio yn dod i gladdu ar gefn ceffyl. Cofiaf fel yr oedd yn teithio'r ardal gyda throl a cheffyl, yn enwedig i'r Betws er mwyn hel sbarion o'r gwestai ar gyfer ei anifeiliaid. Byddai'r 'hand signal' a roddai wrth droi o'r A5 am ffordd Dolwyddelan yn werth ei weld. Clywais un hanes amdano yn dod o'r Betws ar nos Sadwrn ar ôl cael boliad o gwrw. Gorweddai yn y drol yn canu'n braf, yr un caneuon bob tro, ar hyd y daith. Gorffennai gyda'r emyn 'Ar fôr tymhestlog' ar y dôn Penmachno. Erbyn iddo gyrraedd y pennill olaf, byddai'r ceffyl yn

Caradog Hughes
(Llun a dynnwyd gan Peter Haveland, Penmachno yn 1983)

gwybod ei bod hi'n amser troi dros bont Lledr am Dy'n Berth gan y byddai'r geiriau:-

"I mewn i'r harbwr tawel clyd . . . "

yn arwydd iddo droi dros y bont!

Cofiaf Elsyn yn dathlu ei ben-blwydd yn bedwar ugain oed, a hynny ar amser cinio ddydd Sul yn y Silver Fountain (y 'Ffynnon Arian' neu'r 'Ffownten' ar lafar) sydd ar yr A5 o du isaf i dro Penmachno. Yno yn ei gynorthwyo roedd Crad a Wil ei frawd a'r hen greadur mewn hwyliau da, yn adrodd straeon lu. Credaf iddo farw o fewn blwyddyn neu ddwy wedi hynny.

Mae'n amlwg i Crad etifeddu dawn dweud ei dad, ond nid oes gennyf gof i Elsyn fod yn un o'r brid straewyr celwydd golau, chwaith. Fe gâi Crad gyfnodau lle na fyddai'n troi i'r dafarn am hydoedd ac wedyn yn cael cyfnodau selog wrth y bar. Yno, ymysg ei gydnabod yr oedd ar ei orau, ac yno hefyd y byddai'r straeon yn byrlymu, yn enwedig ar ôl cael peint neu ddau i lacio'r cof. Byddwn yn mynd i'w weld i'w gartref, hefyd, i werthu'r papur bro, *Yr Odyn*, a chael sgwrs yr un pryd.

Aeth rhai blynyddoedd heibio cyn imi werthfawrogi ei straeon. Roeddwn wedi clywed llawer ohonynt ganddo ef, a chan rai eraill o'r pentref. Gwell hwyr na hwyrach medd yr hen air, felly dyma geisio cofnodi cymaint ohonynt ag y gallwn eu cofio. Fel y dywedais yn y cyflwyniad, y gystadleuaeth yn Eisteddfod Genedlaethol Caernarfon oedd yn gyfrifol am hyn. Cofnodais lawer ohonynt wedi hynny, ond weithiau byddai'n anodd iawn. Wrth iddo fynd drwy'i bethau yn y Ffownten, byddai'n rhaid imi wneud esgus i fynd i'r tŷ bach, codi'r pad archebu bwyd a beiro oddi ar y bar, a cheisio nodi'n bras rhyw amlinelliad o'r stori. Mae'n siŵr fod Crad yn meddwl ambell waith fod problem dŵr arnaf, gan mor aml yr awn i'r tŷ bach! Beth bynnag, wedi cyrraedd adref, byddai'n rhaid hel y darnau papur a'u cadw'n saff, er imi golli ambell un ar ddiwedd noson fawr!

Nid dawn i ddweud straeon yn unig sydd ganddo, ond dawn i ganu caneuon gwerin a ddysgodd gan ei dad. Er nad yw'r donyddiaeth yn sicr iawn, does dim yn bod ar y cof ac mae llawer o'r geiriau yn newydd sbon imi. Pan mae Crad ar ei orau, ac yn llawn stêm, fe all ddal ati yn ddi-baid am oriau gyda'i straeon a'i ganeuon.

Pan alwais heibio Crad yn ystod wythnos y Sulgwyn, 1991, gyda'r ferch fach acw, roedd hi'n ddiddorol gweld ymateb Elen iddo. Roedd arni ei ofn braidd, a swatiai wrth fy ochr, ond pan oedd yn dweud stori, roedd ei cheg yn agored a'i llygaid wedi eu hoelio arno wrth weld y cymeriad unigryw hwn yn mynd trwy'i bethau.

Mae'n werth nodi hefyd, fod Crad wedi ei recordio ar gyfer rhaglen deledu. Pan fu Dai Jones yn gwneud rhaglen *Cefn Gwlad* ar Gwyn Jones, Cae Llwyd, Penmachno, gŵr sy'n enwog ym myd rasus cŵn defaid, un o'r rhai a ymddangosodd ar y rhaglen oedd Crad. Er na fu'n siarad am amser hir iawn, cafwyd cyfle i'w weld yn sefyll wrth ddrws ei dŷ yn siarad am ei filgi, gan ei ganmol a dweud ei fod wedi bod yn 'reserve champion' unwaith!

Nid wyf wedi cynnwys ei straeon i gyd, gan fod rhai ohonynt braidd yn anweddus. Ond mae Crad yn eu coelio i gyd, gan iddo gyfaddef wrth ddau ohonom yn y Ffownten un noson:

"Dwi'n gwybod 'mod i'n deud clwydda, ond mae 'nghlwydda i gyd yn wir!"

Fe gychwynnaf drwy adrodd ychydig o straeon am ei gartref, Ty'n Berth:

Mae hon yn stori sy'n debyg iawn i stori 'Codi'r goeden o'i gwraidd' y soniais amdani eisoes ond fod un Crad yn amrywio ychydig. Fe'i clywais yn cael ei dweud ganddo nifer o weithiau, a bûm yn ffodus un tro i'w gael ar dâp yn ei hadrodd hi. Yn ôl ei stori, roedd coeden yn y cae gerllaw'r tŷ, a'r brain yn hel arni ac yn creu niwsans. Dyma fo'n tynnu'r haels allan o getris y gwn a gosod tintacs yn eu lle. Wedyn, mynd allan a saethu at y goeden. Cafodd y brain i gyd eu hoelio i'r canghennau ac fe ddychrynon nhw cymaint nes codi'r goeden o'i gwraidd.

Ond mae ganddo stori arall, sy'n sôn am yr un goeden, dybiwn i. Y tro hwn, lladd y brain oedd y bwriad.

"Roeddan ni'n aros i'r brain setlo ar y goeden, yna tanio gwn i'w dychryn nes yr oeddynt i gyd yn codi i'r awyr. Aros iddyn nhw setlo ac wedyn tanio eto. Mi fuos i a 'mrawd yn tanio felly trwy'r nos.

"Yn y bora, mi fuo Wil a finna'n eu lladd efo coes caib. Roeddan nhw wedi blino'n lân ac yn llonydd ar y goeden."

★   ★   ★

"Roedd 'na goedan arall y tu allan i'r tŷ. Pan es i'r car un noson a throi'r gola mlaen, y cwbwl welwn i oedd y goedan yn ola mawr. A wyddoch chi beth oedd yno? Cannoedd o lygod mawr yn cuddio yn y goedan a'r gola'n taro ar 'u llygaid nhw!"

★   ★   ★

Yr adeg hynny, roedd Crad a'i frawd yn pysgota yn afon Lledr. Un noson yn y Ffownten, roedd rhywun yn sôn fel yr oedd wedi dal brithyll yn afon Machno. Yn syth bin, dyma'r stori nesaf allan gan Crad:

"Mi fyddai Wil a fi yn tynnu samons o afon Lledr o dan Bont Gethin. O'n i'n sefyll ar y bompren sydd o dan y bont ac yn saethu'r samons efo twelf bôr wrth iddyn nhw neidio i fyny'r afon. Wedyn, roedd Wil yn 'u dal nhw'n y gwaelod wrth iddyn nhw fynd efo'r afon. Ro'n i'n saethu'u penna nhw i ffwrdd ac mi saethis ddau ddwsin ohonyn nhw achos mai dyna faint o getris oedd gin i.

"Roedd yr afon yn goch gan waed, ond mi o'dd y ciperiaid yn meddwl mai dyfrgwn oedd wedi'u ca'l nhw!"

★   ★   ★

Nid drwy'r dull yma'n unig y daliai Crad bysgod.

"Dwi'n cofio fi'n dal samon oedd yn mesur tua pymtheg modfadd o'i dop i'w waelod, ac yn pwyso tua can pwys. Roedd 'na dri deg a chwech o facha ynddo — 'foul hooking'. Wrth i mi drio'i ddal o, mi ges fy llusgo i'r afon gan 'i fod o mor gry. Fedrwn i ddim 'i ga'l o i'r lan, ond mi ges syniad. Roedd gin i ddetonator yn fy mhocad, a dyma glymu hwnnw'n sownd wrth ffon. Wedyn, dyma fi'n gwthio fo i geg y samon a dyma andros o glec. A dyna sut y dalis o; mi ddoth o'n hawdd wedyn."

Un tro arall, mi ddaliodd anferth o bysgodyn:

"Ro'n i'n potsio yn Llyn Du ac mi ddalis samon mawr, tua neinti tŵ o bwysau — nage, tua neinti ffôr. Mi garis o i fŵt y car ac mi o'dd 'i gorff o'n ffitio, ond 'i gwnffon o'n sticio allan o'r bŵt. Mi ges draffarth cau'r bŵt cyn i gipar ddŵad heibio."

★　★　★

Pan ddaeth yn ddigon hen i adael yr ysgol, aeth i lawr i Lundain i chwilio am waith.

"Pan gychwynnis i weithio, ro'n i'n safio hannar coron yr wythnos. Os baswn i wedi dal i safio felly, mi faswn i'n filionêr, ond am ryw ddwy bunt a chweigian!"

★　★　★

"Bûm yn gweithio mewn stablau yn Epsom (fe'i clywais yn dweud Newmarket, hefyd). Roedd 'na geffyl da yno, ddim digon da i'w redag ar y fflat, ond un da am neidio. Doedd gan y trainer ddim mynadd efo'r ceffyl, ac mi ddysgis iddo neidio yn Epsom dros jymps y trainer yng nghanol y nos. Gosod canhwylla mewn poteli wisgi a'u rhoi, un bob ochor i'r jymp, a dysgu'r ceffyl i neidio.

"Roedd y ceffyl yn rhedeg mewn ras yn Windsor, a hwnnw'n gwrs anodd, siâp wyth. Y trainer yn hedfan joci o 'Werddon — John Moloney — yn arbennig ar gyfer y ras, ond mi gollodd o y ras am nad oedd o'n gallu cadw'r ceffyl yn iawn ar y troeadau. Mi faswn i wedi ennill petawn i'n reidio. Bu'n rhaid imi fynd i'r rhyfel yn fuan wedyn ac mi fues i yn yr armi am bedair blynedd a hannar."

★　★　★

"O'n i'n joci hefyd cyn y rhyfel (ond pa bryd, dwn i ddim, achos yn ôl y stori arall, gweithio yn y stablau oedd o) a phobol enwog iawn fel yr Aga Khan a Churchill yn dŵad i'r stabla a thaflu sypia o 'fivers' drwy ddrws y stabal i'r gweithiwrs. Mae gin i leisans reidio, a faswn i'n cael reidio ym mhob gwlad yn y byd, taswn i isio hynny. Dim ond fi sy'n dal yn fyw efo'r leisans yma, roedd gin Steve Donoghue un hefyd, ond mae o'n darfod pan fydda i'n marw, felly fedrith yr un o'r meibion ei gymryd ar fy ôl.''

*   *   *

Stori arall yw honno amdano'n joci efo Lester Piggot (er y byddai'n anodd i hwnnw fod yn joci cyn y rhyfel, hefyd).

"O'n i'n pwyso chwe stôn cyn y rhyfel ac mi ges fy nal yn byta 'fish and chips' yn y stabal gan y bòs. Mi chwipiodd fi'n ofnadwy ac mae hoel y chwip yn dal ar fy nghoesa hyd heddiw!''

*   *   *

Un o'i straeon enwocaf yw honno am ei 'wasanaeth milwrol' yn ystod yr Ail Ryfel Byd. Fe'i clywais yn dweud y stori lawer gwaith pan oedd yn gweithio fel barman yn y Ffownten. Ar nosweithiau braf yn yr haf, byddai yno y tu ôl i'r bar, cap 'Leningrad University' ar ei ben, yn dweud wrth y Saeson a alwai yno ar eu gwyliau sut yr oedd wedi bod yn fyfyriwr yn y brifysgol honno. I goroni'r noson, fe fyddai'n adrodd hanes y rhyfel, a'r adeg honno, byddai'r hogiau'n cilio oddi wrth y bar er mwyn cael lle i wrando ac astudio ymateb y Saeson ar yr un pryd.

Adroddai ei hanes yn 'secret agent' yn ystod y rhyfel:

"Cael fy fflio allan i Ffrainc oeddwn i, ac yn sydyn dyma'r eroplên yn cael 'i saethu yn yr injan, nes stopiodd honno. 'Cer i nôl y parashwt,' medda'r peilot, ond doedd 'na 'mond un, felly dyma fi'n deud wrth y peilot am ei gymryd, a dyna hwnnw'n neidio allan o'r plên.

"Mi sefis yn nrws yr eroplên am hir gan edrach i lawr oddi tanaf. Beth welis i, ond coedwig fawr a llyn bach, yn edrach fel swllt yn y canol. Dyma fi'n neidio allan o'r plên ac mi fûm i'n syrthio am hir. Syrthiais i ganol y llyn, ac mi es i lawr i'r gwaelod. Pan ddois i nôl i'r wynab, roedd 'na samon o dan bob cesail imi!''

Caradog Hughes o flaen Tan Lan, Sulgwyn 1991

Pwtyn rhadlon o ddyn yw Crad, ond nid felly yr oedd ers talwm yn ôl ei eiriau ef:

"Pan o'n i'n ifanc, o'n i'n sics ffwt sics. Ond un tro, pan o'n i'n gweithio yn Llundan, roeddwn i'n trin rhyw ddynas ac mi ddoth 'i gŵr hi adra yn gynt na'r disgwyl, a'm dal yn y gwely efo'i wraig. Gwisgis fy nhrowsus yn sydyn a neidio drwy'r ffenast. O'dd y ffenast yn uchal, yn uwch nag oeddwn wedi disgwyl ac mi deimlis fy nghoesa'n brifo wrth daro'r pafin. Doedd dim amser i aros, mi redis yn ôl i'r lojins am fy mywyd.

"Pan gyrhaeddis y lojins, roedd fy nhrowsus yn llusgo ar fy ôl ac mi o'dd 'na drodfadd o bob coes wedi'i gwasgu at fy mhenglinia!"

* * *

Cafodd godwm o ben adeilad uchel yn Efrog Newydd, hefyd, ryw dro:

"Chest ti mo dy ladd?" meddai rhywun wrtho.

"Naddo siŵr, dwi yma rŵan, yndw! Ond mi fûm i'n andros o lwcus. Wrth syrthio, mi afaelis ym mhob lintal ffenest ar y ffordd i lawr ac felly y cyrhaeddis i'r gwaelod yn saff!"

* * *

Yn ystod y cyfnod cynnar, hefyd, bu'n llongwr ar longau hwyliau:

"Hwylio mewn storm ofnadwy oeddan ni, a phob un o'r criw yn mochal o dan y dec. Dyma'r capten yn deud wrtha i am fynd i lifio hannar ucha'r mastia er mwyn tynnu'r hwylia i lawr. Mi ro's li 'Bushman' dros f'ysgwydd a dechra dringo'r mast. Erbyn imi gyrradd hannar y mast, roedd y gwynt mor ofnadwy o gry nes yr oedd wedi chwthu pob dant i ffwrdd oddi ar y lli!"

* * *

Bu'n gweithio mewn gwahanol ardaloedd yng Nghymru a Lloegr am gyfnodau hirion yn ystod ei fywyd. Bu hefyd yn gweithio yn yr Alban:

"Dwi'n cofio plannu deng mil o goed yn Scotland. Mi es i fyny 'mhen pum mlynadd wedyn i godi ffwrneisi mewn gwaith gwydyr. Pasiais y lle roedd y coed wedi'u plannu. Roedd y cwbwl yn fflat. Stopiais y car a holi be oedd wedi digwydd i'r coed a chlywad fod gwynt mawr wedi'u chwthu. Am 'u bod nhw wedi'u plannu mewn mawnog, doedd dim gafal i'r gwreiddia. Mi oedd y coed i'w ca'l am ddim fel coed tân ond 'nes i ddim boddro!"

* * *

Yn ystod y cyfnod hwn daeth i adnabod y dynion oedd wedi dyfeisio'r bom atomig. Yn wir, roedd o fwy neu lai yn awgrymu ei fod o'n un ohonynt. Bu'n crwydro llawer yn Lloegr:

"Dwi'n cofio bod mewn 'Chinese' yn Sunderland a'r bwyd ddim yn dda iawn. Mi glywis fod pobol yr 'helth' wedi mynd i'r gegin y diwrnod wedyn a cha'l hyd i dair tunnall o fwyd cath mewn tunia yno."

* * *

"Pan o'n i'n gweithio yn Harrow, roeddwn yn byw y drws nesa i gaffi, ac yn golchi llestri yno gyda'r nos er mwyn cael mwy o bres. Yn fanno roedd giangstars Llundan yn hel bob nos. Dwi'n cofio un noson i'r plismyn roi 'raid' ar y lle a'r peth nesa welis i oedd y giangstars yn rhedag allan heibio i fi drwy'r gegin, a bob un ohonyn nhw yn taflu gwn o'i bocad i'r sinc. Wel, fedrwn i ddim gneud dim — ond rhoi mwy o sebon yn y dŵr i'w cuddio!"

* * *

Er ei fod wedi sôn am 'Merica, un wlad dramor sy'n mynd â'i fryd, a honno'n wlad annisgwyl, efallai, sef y Ffindir. Aeth mor bell â rhoi enw Ffineg ar un o'i ferched. Does dim dwywaith fod ganddo ryw gysylltiad â'r wlad honno, gan iddo ddangos llythyr imi a oedd wedi ei dderbyn gan gyfaill a drigai yno. Cewch roi eich barn eich hun am weddill y 'cysylltiadau'.

"Mi fûm i yn Ffinland dri deg chwech o weithia ac ma' cwmni teledu'r wlad wedi gneud ffilm amdana i."

*   *   *

"Yn neintîn ffiffti thri roedd hi'n wanwyn cynnar yn y wlad yma, ac yn braf iawn ym mis Mawrth gyda phob dim wedi dechra tyfu a bloda'n blodeuo. O'n i'n fflio o Lundan i Helsinki, ac yn fflio uwchben y cymyla. Pan oedd y plên yn nesu at Helsinki, mi welwn ddau fynydd mawr, gwyn yn uchal uwchben y cymyla. Daeth y plên i lawr ar y rynwê ac erbyn dallt, roedd Ffinland wedi bod dan eira mawr ers naw mis, a dau fwldosar yn clirio'r rynwê bob awr o'r dydd, gan wthio'r eira i'r ochor. Dyna oedd y ddau fynydd mawr gwyn — yr eira oedd wedi cael ei hel oddi ar y rynwê gan y bwldosars."

*   *   *

"'Nes i gwarfod Makarios, oedd yn rhedag Cyprus ar y pryd, ac mi ddudis i wrtho sut oedd o i ddŵad â'i wlad i drefn!"

*   *   *

Gallasai fod wedi gwneud ei ffortiwn yno hefyd, petai wedi llwyddo i godi pres ar gyfer un fenter:

"Pan o'n i fyny yn yr Arctic yn Ffinland, mi ges i gynnig partneriaeth mewn busnas magu ceirw, ond roedd rhaid imi ffeindio mil o bunnoedd. Mi ddudis i wrth y dyn am roi mis imi i ga'l menthyg y pres. Pan ddois i adra, mi ofynnis i Barham, oedd yn cadw'r Waterloo yn Betws, am fenthyg y pres ond gwrthod 'nath hwnnw. Taswn i wedi cal menthyg y pres gynno fo, y fi fasa pia pob carw yn yr Artic, a hefyd y Waterloo erbyn heddiw!"

*   *   *

"Pan o'n i'n Helsinki un tro, roeddwn i'n gweithio mewn lle â phobol yn ei gardio ddydd a nos rhag ofn i'r gweithiwrs ddwyn petha oddi ar y seit. Un diwrnod, dyma fi'n gweld berfa newydd sbon a dyma fi'n ei phowlio allan heibio'r bobol oedd yn gardio. Mi werthis hi am tua chwe phunt. Yn ystod y dyddia nesa mi bowlis ugian berfa arall a'u gwerthu eto heb i run o'r gards ddallt be oedd yn digwydd, ac mi nes i bres go lew."

* * *

"Yn Ffinland, roedd hi'n oer ofnadwy. Un tro, pan o'n i'n lymberjac yno, roedd hi'n aea calad iawn. Mi naethon dorri twll deg trodfadd wrth ddeg trodfadd yn y ddaear, a rhoi canghenna coed yn dew drosto. Roeddan nhw wedi rhewi'n gorn a ninna'n byw yn y twll odanynt heb fedru dod allan. O'dd gynnon ni ddigon o fwyd, ond y broblem fwya oedd lle i ga'l cachiad. Mi benderfynon ni gachu yn y gornal bella ac ma'n rhaid 'i bod hi'n oer achos doedd 'na ddim hogla o gwbwl!"

* * *

Ar ddechrau'r pumdegau, nid oedd y rhwydwaith awyrennau teithiol wedi datblygu drwy Ewrop.

"O'n i wedi gorffan y gwaith fel lymberjac ac yn gorfod dal y plên o Helsinki yn ôl i Lundan. Doedd 'na ddim ond un y mis radag hynny ac mi r'odd hi'n mynd ymhen tridia.

"Mi ges slej a chŵn a dyma un o'r Ffins yn rhoi gwn i mi, 'er mwyn saethu'r bleiddiaid,' medda fo. Dyma gychwyn drwy'r coed a chyn pen dim roedd y bleiddiaid yn ymosod ar y cŵn. Roeddwn inna'n tanio nes o'dd y gwn yn chwilboeth, ond er gwaetha hynny, roedd y diawliaid yn llwyddo i dynnu ci i ffwrdd bob yn hyn a hyn. Wel, rown i wedi tanio pob cetrisian a dyma swingio'r gwn i daro'r bleiddiaid.

"Pan ddos i allan o'r coed, doedd 'na ddim ond dau gi ar ôl yn tynnu'r sled a minna'n eu brysio. Dyma gyrradd yr êrport a dim ond hannar awr i sbario tan oedd y plên yn cychwyn. Pan gamis i oddi ar y sled ac edrach ar y ddau gi, o'n i'n dallt pam oeddan nhw'n edrach yn llai o lawar. Roedd coesa'r cŵn druan wedi gwisgo i'w penglinia ar ôl gweithio mor galad!"

★ ★ ★

Mae'n byw yn Nhan Lan bellach, ers chwarter canrif a mwy, gan deithio o gwmpas yn ei gar, er iddo honni fod ganddo bedwar deg ac wyth o foto-beics wedi bod yn ei feddiant dros y blynyddoedd. Cofiaf iddo ddweud ei hanes yn eistedd o flaen y tân un noson:

"O'n i newydd ga'l panad ac wedi rhoi'r gwpan ar y bwrdd, a'r tebot ar y grât. Ro'n i wrthi'n rowlio sigaret, a'r tun ar fy nglin. Dyma fi'n meddwl y basa panad arall yn dda. Yn sydyn, dyma'r tebot yn codi ac yn fflio at y bwrdd a tholldi i'r gwpan. Wedyn, y llwy yn codi o'r siwgwr i'r gwpan, a'r gwpan wedyn yn codi ac yn landio yn fy llaw. Panad dda dros ben oedd hi, hefyd, a dwi'n gwbod 'mod i heb godi o'r gadar achos mi odd y tun baco yn dal yn gorad ar 'nglin i!"

★ ★ ★

Un noson yn y Ffownten, roedd Crad mewn tipyn o boen:

"Ma' gin i boen yn fy nghefn ac mi es at y doctor yn Betws. Do'n i ddim yn licio honno am 'i bod hi'n ddynas ac yn ddu. Mi es i Landudno i'r hospital. Mi ges fy rhoi ar y gwely a dyma'r doctor yn dŵad â nodwydd hir a'i rhoi yn fy nghefn. Rodd o'n methu 'i chael hi i mewn trwy asgwrn fy nghefn ac er gwthio'n galad, fedra fo ddim. Mi wthiodd arni nes o'dd y nydwydd wedi plygu fel dolan bwciad!"

★ ★ ★

Roedd gan Crad sbeinglas oedd yn rhoi'r gallu iddo ddarllen tagiau gwartheg Garth y Pigau (uwchben Llanrwst), o Foel Pen Bryn, Penmachno, neu dyna a ddywedodd un o feibion Crad wrth Dewi, Llawr Ynys ryw dro.

Adroddodd Crad hanes ei frawd, Wil, yn gweithio ar fferm fawr yng Nghanada:

"Mae o'n mynd i'r cae ben bora i'w droi, rhoi ei fag bwyd ar y clawdd, neidio ar y tractor, mynd i lawr y cae un waith efo'r arad a dod yn ôl i fyny'r cae. Erbyn iddo gyrradd yn ôl, mae hi'n amsar cinio!"

★　★　★

"Dwi wedi gneud lot o ffyn. Mae 'na tua pymthag cant o ffyn acw yn y tŷ rŵan."

★　★　★

Nid oes neb i'w guro fel garddwr, chwaith:

"Ma' 'na garaitsh (moron) fel hyn acw (dangos hyd at ei benelin) a dydyn nhw ddim wedi gorffan tyfu eto."

★　★　★

Erbyn hyn, rwy'n tynnu at y terfyn. Dim ond dwy stori sydd ar ôl i'w dweud. Mae'r stori nesaf yn un o'i glasuron ac yn dangos cryn ddychymyg:

"Mae 'na gloc mawr yn Nhy'n Berth acw, cloc taid, sydd mor hen nes fod cysgod y pendil wedi gwisgo twll yn ei gefn o!"

★　★　★

Yr oeddwn yn credu fy mod wedi cael y stori ddiwethaf un gan Crad, yn enwedig gan imi symud i fyw o Benmachno. Ond doedd hynny ddim yn wir. Y Sulgwyn diwethaf, fel y soniais eisoes, gelwais heibio i'w weld, ac mi gefais stori oedd yn werth ei chofio.

Yr oedd, hefyd, yn barod iawn i gael tynnu ei lun (gyda'i gi) ac mae rhif y car yn cadarnhau nad i'r oes o'r blaen yn unig y perthyn y storïwr celwydd golau.

Holi yr oeddwn am hynafgwr o'r fro, fy mod am alw i'w weld. Ond dyma Crad yn ateb:

"Dydi o ddim adra, mae o wedi mynd i gartra yn Llanrwst. Mi o'dd o'n y rhyfal efo 'nhad sti. O'dd fy nhad i fod i ga'l y V.C. ond rhyw Sais a gafodd hi yn 'i le fo. Cofia, ma' gin i chwech o'i fedals o yn y tŷ 'ma a ma' 'na 'Iron Cross' yn 'u plith nhw."

"O'n i'n meddwl mai'r Jermans oedd yn cael yr Iron Cross," medda fi.

"O mi gath Dad un, hefyd. Fel hyn oedd hi. Ro'dd o yn y 'trenches' yn Ffrainc, efo 'Lewis Gun' a dyma fo'n penderfynu mynd allan o'r 'trench' am dro, gan 'i bod hi'n fudur yno. Dyma fo'n rhoi'r 'Lewis Gun' dros ei ysgwydd a cherddded drwy'r cae. Yn sydyn, mi glywodd sŵn siarad, a dyma fo'n mynd ar ei fol, a chropian 'mlaen ac edrach dros yr ochr. Be wela fo ond 'cutting' rêlwe, a 'gwmpas pedwar cant o Jermans yno. Dyma 'nhad yn rhoi'r gwn ar yr ymyl a gweiddi 'hands up', gan ysgwyd ei fraich bob ochr a gweiddi 'dowch hogia' er mwyn iddyn nhw feddwl fod yna chwanag efo 'nhad.

"Mi daliodd nhw i gyd a mynd â nhw yn 'prisoners of war'. Mi gath fedal am hynny, ac ymhen ychydig fisoedd, mi ddoth 'na 'Iron Cross' drwy'r post, oddi wrth y Kaiser ei hun, wedi ei yrru i Ellis Hughes, Ty'n y Berth, Wales!"

★   ★   ★

Pwy sy'n dweud fod y ddawn hon wedi mynd? Pwy sy'n dweud fod y storïwr celwydd golau wedi diflannu o'n gwlad?

Maent yma o hyd!

Llyfryddiaeth

Codwyd straeon o'r cyfrolau canlynol:

Blodau'r Ffair — (Cylchgronau'r Urdd)

Helyntion Twm Llongwr — J. O. Williams (Llyfrau'r Dryw 1960)

Canu'r Cymry — Phyllis Kinney a Meredydd Evans (Cymdeithas Alawon Gwerin Cymru 1984)

Hiwmor y Cymro — Y Parch T. Mardy Rees (Hugh Evans a'i Feibion 1922)

Dal Pysgod — Emrys Evans (Llyfrau Llafar Gwlad, Gwasg Carreg Gwalch 1989)

Ar Lafar yn Eifionydd — Guto Roberts (Cyhoeddiad Preifat 1990)

Ffraethebion y Glöwr Cymreig — Eisteddfod Genedlaethol Treorci 1928 (John Evans a'i Fab, Caerdydd)

Glywsoch chi hon? — J. Ellis Williams (Llyfrau'r Dryw 1968)

Straeon Gwerin Cymru — Robin Gwyndaf (Llyfrau Llafar Gwlad, Gwasg Carreg Gwalch 1988)

Doniolwch Dyffryn Nantlle — Iorwerth Thomas (Cyhoeddiadau Mei 1982)

Hiwmor y Chwarelwr — J. D. Evans (Cyhoeddiadau Mei 1977)

Hiwmor Dyffryn Nantlle — G. J. Williams/Iorwerth Thomas (Cyhoeddiadau Mei 1979)

Glywsoch chi hon? — (Cyhoeddiadau Mei 1977)

Englynion Digri — (Gwasg y Glêr 1966)

Fy Milltir Sgwâr — Huw Williams (Llyfrau'r Faner 1988)

Cae Marged — Lyn Ebenezer (Gwasg Gwynedd 1991)

Y Sipsiwn Cymreig — Eldra ac A. O. H. Jarman (Gwasg Prifysgol Cymru 1979)

Cofio'r Gorffennol — Y Parch John Alun Roberts (Gwasanaeth Llyfrgell Gwynedd 1980)

Canrif y Chwarelwr — Emrys Jones (Gwasg Gee 1963)

Bargen Dinorwig — Emrys Jones (Tŷ ar y Graig 1980)

Rhwng Gwellt a Gwair — Bob Owen (Pernant) (Gwasg Carreg Gwalch 1985)

Hyfryd Iawn — Eirwyn Pontshân (Y Lolfa 1966)

Twyll Dyn — Eirwyn Pontshân (Y Lolfa 1982)

Cyfansoddiadau Eisteddfod Genedlaethol Cymru, Caernarfon a'r Cylch 1979 — (Gwasg Gomer)

Atgofion Hanner Canrif — Huw Davies (Llyfrau'r Methodistiaid Calfinaidd 1964)

Ysgrifau — Dewi Emrys (Hughes a'i Fab 1937)

Wel, Dyma Fo — Cyfrol Goffa Charles Williams (Cyhoeddiadau Mei 1983)

Os Hoffech Wybod — Dic Jones (Gwasg Gwynedd 1989)

Wês Wês — Gwyn Griffiths a John Phillips (Gwasg Gomer 1976)

Hen Dref y Cymeriadau Rhyfedd — Myrddin ap Dafydd (Gwasg Carreg Gwalch 1989)

Wagenad o Straeon — O. R. Williams (1973)

Yr Awen Lawen — Gol. Elwyn Edwards (Cyhoeddiadau Barddas 1989)

Hen Atgofion — W. J. Gruffydd (Gwasg Aberystwyth 1936)

Lady Gwladys a Phobl Eraill — D. Tecwyn Lloyd (Gwasg Tŷ John Penry, Abertawe 1971)

Hen Ddwylo — E. Llwyd Williams (Llyfrau'r Dryw 1941)

Dychweliad y Deryn Mawr — John E. Williams (Gwasg Carreg Gwalch 1990)

Llafar Gwlad — Cylchgrawn llên gwerin (Gwasg Carreg Gwalch)

Bro — Cylchgrawn Mudiad Adfer, Rhifyn Tach/Rhag 1980

Caneuon Traddodiadol y Cymry — W. S. Gwyn Williams

Canu Gwerin — Rhif 4/1981 (Cymdeithas Alawon Gwerin Cymru)

Llên y Llannau — Eisteddfodau 1982 (Gwasg y Sir, Y Bala)

Tâp:
Heblaw am dapiau preifat, codwyd straeon o'r tâp *Pobl 'Pesda* — Y Parch. John Alun Roberts (Casetiau Sycharth, Llanrwst)